De magische bibliotheek

Jostein Gaarder en
Klaus Hagerup

De magische
bibliotheek

Vertaald uit het Noors
door Kim Snoeijing

de Fontein

Verantwoording
Het citaat uit *Het dagboek van Anne Frank* is afkomstig uit:
Anne Frank, *Het Achterhuis, Dagboekbrieven*. Uitgeverij Bert
Bakker, Amsterdam, 1984.
De citaten uit *Peer Gynt* zijn afkomstig uit: Henrik Ibsen, *Peer
Gynt*. Bewerking en vertaling van C.S. Adema van Scheltema,
vijfde druk, jaar van uitgave onvermeld.
De overige citaten in het boek zijn rechtstreeks uit het Noors
vertaald.

STICHTING NEDERLANDSE
KINDERJURY
2004

Oorspronkelijke titel: *Bibbi Bokkens magiske bibliotek*
© 1999 Jostein Gaarder en Klaus Hagerup
Voor de Nederlandse uitgave:
© 2003 Uitgeverij De Fontein, Baarn
Vertaling: Kim Snoeijing
Afbeelding omslag: Mark Janssen
Omslagontwerp: Hans Gordijn

ISBN 90 261 1869 4
NUR 284

Deel 1

Het brievenboek

Beste Berit,

Bedankt voor de fantastische vakantie. Jammer dat het weer voorbij is. Morgen moet ik weer naar school, en daar heb ik niet echt zin in. Al die kleintjes daar! Ja ja, nog een jaar en dan heb ik het gehad, dan gaat Nils Bøyum Torgersen naar het voortgezet onderwijs! Maar terzake. Ik heb veel nagedacht over dat plan met een brievenboek en ik moet toegeven dat het toch niet zo'n slecht idee is. Brieven schrijven in een schrift dat we tussen Oslo in het oosten en Fjærland in het westen van het land heen en weer sturen is bijna alsof we een fotoalbum met woorden maken in plaats van met foto's. Misschien dat we die brieven dan nog eens weer kunnen lezen als we oud en grijs zijn (ha ha). Als we tenminste iets te schrijven hebben, want dat kun je je nog afvragen. Ik ben bang dat deze herfst net zo spannend wordt als een boterham met kaas, en ik kan me zo voorstellen dat er in Fjærland ook niet al te veel spannende dingen gebeuren. Of hebben ze misschien een geheimzinnige sneeuwman op de Jostedalsgletsjer ontdekt? Ik moet nu stoppen. Mama doet je de hartelijke groeten. Ze hoopt dat de nieuwe baan van je moeder haar bevalt en *look forward to seeing you again*, zoals ze in het vliegtuig zeggen. Papa zou je vast en zeker ook de groeten willen doen, maar hij is op dit moment als taxichauffeur aan het werk en hij weet niet dat ik zit te schrijven.

Groeten van je hooggeachte neef Nils

PS. Ik vergat te vertellen dat er iets geks gebeurde toen ik dit schrift kocht. Ik heb het namelijk niet in Oslo gekocht, maar in Sogndal toen ik uit Fjærland op weg naar huis was. Herinner je je die vreemde vrouw, met die enorme ogen en dat verfomfaai-

7

de boek in haar handtas? Die vrouw die in de hut op de gletsjer in het gastenboek zat te lezen en over onze schouders keek toen we dat gedicht daarin schreven. Ken je dat nog? Ik wel:

We zitten samen aan het strand
met een coca cola in de hand.
Nils en Berit heten wij
en we hebben nog lekker vrij.
Het is hier heerlijk, we doen wat we willen,
als we aan school denken, gaan we gillen.

Lang niet gek, als je het mij vraagt.

Maar ik wilde niet over dat gedicht schrijven, maar over die vrouw. Toen ik de boekhandel in Sogndal binnenkwam, was zij daar ook weer. Ze liep langs de boekenkasten om alle boeken te bekijken. En weet je, Berit, ze kwijlde! Ja, ik kan het niet anders zeggen. Die vrouw liep in de boekhandel te kwijlen. Alsof de boeken van chocola, marsepein of zoiets waren. Maar het gekste was dat toen ik dit schrift wilde betalen, ze naar me toe kwam en vroeg of ze ook de helft mocht betalen. Ik wist niet wat ik moest zeggen, maar ze keek me met zo'n akelige blik aan dat ik niet durfde te weigeren. Ik weet niet hoe ik de uitdrukking in haar ogen moet beschrijven, maar het leek wel alsof ze mij als een open boek kon lezen. Ik durfde niets anders te doen dan het briefje van tien kronen aan te nemen en haar hartelijk te bedanken. En weet je wat ze zei? 'Ik moet jóú bedanken!' Daarna pakte ze een zakdoek, droogde haar mond af en verdween.

Hier heb je in elk geval het schrift. Ik stuur het je met een van de sleuteltjes. Zorg ervoor dat je het op slot doet als je het niet gebruikt. Denk eraan dat het *for your eyes only* is (alleen voor jouw ogen). Sorry voor het plaatje op de voorkant. Ik kon kiezen tussen de Sognefjord en een zonsondergang met een rood hartje als zon. Wat zou jij gekozen hebben? Einde brief.

Beste neef!

Bedankt voor het brievenboek dat ik een paar minuten geleden uit de brievenbus heb gehaald en meteen heb geopend. Ik durf je eigenlijk niet te vertellen hoe het hier gaat, want ik heb vanmiddag iets beleefd waardoor ik nergens anders aan kan denken. Daarom moet ik je meteen schrijven, ook al trillen mijn handen nog steeds. Maar je kunt het toch wel lezen?

Het gaat om die geheimzinnige vrouw. Die jij in Sogndal heb ontmoet, inderdaad. Eh, waar moet ik beginnen? Nou, ik stond dus op de kade toen de veerboot van twee uur aankwam. De school begint hier maandag pas en er valt hier verder niet zoveel te beleven. En weet je wie ook op die boot zat? Zij! Ze liep voor alle andere passagiers uit de wal op. Terwijl ze me voorbijliep, wierp ze me zo'n 'ik weet wel wie je bent'-blik toe. Ik had jouw brief nog niet gelezen, maar ik dacht aan wat we in de hut op de gletsjer hadden beleefd, dus besloot ik haar te volgen, op ruime afstand. Ik snap niet dat ik dat durfde, maar ik had bijna het gevoel alsof ze mij gehypnotiseerd had om dat te doen. (Nu kun je zien dat mijn hand trilt!) Toen ze de kerk voorbij was, hield ze halt en keek ze achterom. Ik dook weg, en dit gebeurde een paar keer terwijl we door het Mundal liepen, maar ik geloof niet dat ze me gezien heeft.

Herinner je je de poort bij het muurtje? Daar sloeg ze in elk geval rechtsaf in de richting van het gele huis dat eenzaam aan de rand van het bos ligt. Ik was achter het muurtje gekropen en nu ben ik bijna bij mijn punt: op het moment dat ze de deur van het huis wilde openen, zag ik opeens iets uit haar handtas fladderen. Het volgende ogenblik was ze verdwenen.

Ik was zo opgewonden dat ik nergens aan dacht. Zo voel je je vast als je voor de eerste keer iets doet wat niet mag. Binnen een seconde stond ik namelijk op het erf voor het huis, ongeveer zoals een gemaskerde bankrover die onverwacht op de balie springt en iets over een bankroof brult. Dit was dan misschien wel geen overval en ik brulde helemaal niets en ik droeg ook geen masker, maar ik griste een kleine envelop naar me toe en wierp me weer achter de muur. In de envelop zat een brief en daarin stond:

Beste Bibbi,

Ik heb de hele ochtend door de stad gesjouwd, maar ik kan dat merkwaardige antiquariaat niet terugvinden. Zou het misschien na gisteren gesloten zijn? Ik weet alleen dat het in een van die nauwe straatjes in de buurt van Piazza Navona lag. Daar ging ik in ieder geval naartoe…

Ik was op zoek naar een Italiaanse uitgave van Peer Gynt *van* Henrik Ibsen, *maar toen de eigenaar hoorde dat ik uit Noorwegen kwam, trok hij me mee naar een oude boekenkast en wees op een boek dat er heel anders uitzag dan al die andere banden, domweg omdat het splinternieuw was.*

'Ik heb niet alleen boeken die al geschreven zijn,' fluisterde hij, en keek me met een strakke blik aan.

Ik begreep natuurlijk niet wat hij bedoelde, maar toen pakte hij het boek uit de kast, nam me nauwkeurig op, en zei met nadruk: 'Ik verzamel daarnaast boeken die vroeg of laat geschreven gaan worden. Van dat soort boeken bestaan er uiteraard eindeloos veel, maar het gebeurt maar heel zelden dat je zo'n boek ook in handen kunt krijgen.'

Toen gaf hij mij het boek. Op het omslag stond een afbeelding van een paar hoge bergen en de titel was iets over een 'magische bibliotheek'. Maar het gaat niet om de titel of het omslag. HET PUNT IS: HET BOEK IS IN 1993 IN OSLO UITGEKOMEN!

Het was ergens vólgend jaar uitgegeven, Bibbi! De oude man benadrukte ook dat het een speciale editie was.

Ik schrok zo dat ik het boek meteen weglegde. Het was alsof ik me

10

ergens aan had gebrand. Ik heb zelfs niet gezien wie het had geschreven. Kun jij me helpen, Bibbi? Noorwegen heeft maar één echte bibliograaf en dat ben jij. De vraag is dus niet wie een boek over een 'magische bibliotheek' heeft geschreven, maar wie er nu misschien mee bezig is.

Ik rende het antiquariaat uit, zei dat ik een trein moest halen. Terwijl ik de deur opende, draaide ik me toch om en vroeg de man hoeveel het zeldzame exemplaar kostte. Toen werd hij nijdig, je had hem eens moeten zien. Hij trok zijn wenkbrauwen op en blafte: 'Hoe durf je! Je verkoopt je liefste bezit toch niet. Deze ene band is kostbaarder dan de waardevolste incunabel...'

Ik vraag me af of hij doof was. Hij sprak een ietwat onduidelijk Italiaans en het leek wel alsof hij aan het liplezen was toen ik tegen hem praatte.

Sorry dat ik zo laat op de avond belde, maar ik was helemaal in de war. Als ik dat antiquariaat nu maar kon terugvinden! Het lijkt wel van de aardbodem verdwenen te zijn.

Groeten van Siri. Campo dei Fiori, 8 augustus 1992

Dat was de brief, Nils. Wat denk je? Opeens had ik een geheimzinnige brief gestolen en hem stiekem gelezen. Hoe moest ik er nu weer van af zien te komen?

Jij vindt het toch leuk om me te plagen omdat ik altijd een notitieboekje op zak heb. Maar ik schrijf slimme gedachten graag op voordat ik ze vergeet en dit keer kon ik het boekje pas echt goed gebruiken. Ik schreef de brief snel over, toen sloop ik naar het gele huis terug en legde de brief neer waar ik hem had gevonden.

Ik ben pas een halfuur geleden thuisgekomen, en ik werd niet echt rustiger toen ik jouw brief las, want het idee dat ze ons brievenboek met tien kronen heeft gesponsord, staat me niet aan. Dan is het bijna net alsof ze ook de eigenares van onze gedachten is.

Wat moet ik nu doen? Volgens mij zijn we iets heel bijzonders op het spoor gekomen. Nu weten we tenminste dat ze Bibbi heet. Als we die brief mogen geloven, weten we bovendien dat ze een 'bibliograaf' is. Wat is dat in vredesnaam? En wat is een 'incunabel'?

Ik sta op het punt om in tranen uit te barsten, dus kan ik misschien maar beter stoppen. Volgens mij kan de inkt niet tegen water.

Ik ga snel naar het postkantoor om het schrift meteen op de bus te doen. Je moet me direct terugschrijven!

Groeten van je doodsbange nichtje, Berit Bøyum

Hallo, hallo Berit!

Goh, wat ben je leuk! Een boek dat in 1993 is uitgekomen! Denk je dat ik getikt ben? Het schrijven van een brievenboek is best leuk, maar daarom hoeven we toch niet meteen van alles en nog wat te gaan verzinnen. Als je denkt dat ik zo gemakkelijk voor de gek te houden ben, dan heb je het mis. Hoewel ik één jaar jonger en tien centimeter kleiner ben dan jij, ben ik geen kind dat je maar van alles kunt wijsmaken. Ik heb je wel door. Als je wilt dat ik dat van die brief geloof, moet je mij het origineel sturen. Een afschrift uit *Berit Bøyums fantastische notitieboekverhalen* is niet voldoende.

Ik heb trouwens wel uitgezocht wat een 'bibliograaf' en een 'incunabel' zijn. 'Biblis' is een Grieks woord dat boek betekent. Toen kon ik bedenken dat een bibliograaf iemand is die verliefd is op boeken, en dat vind ik nogal pervers klinken. 'Incunabel' stamt van een Latijns woord, incunabula, dat wieg betekent.

Die Bibbi is dus een vrouw die stapelgek is op boeken en degene die de brief aan haar heeft geschreven, heeft een boek ontdekt dat nog niet is geschreven en dat waardevoller is dan een wieg. Ik geloof je. Ik geloof je.

Mocht je dit sarcastisch vinden klinken, dan heb je me goed begrepen. Maar ik ben vandaag niet in de stemming om nonsens aan te horen. Voor gymnastiek hebben we namelijk de 'IJzervreter' gekregen en hij is knettergek.

Geloof me, ik verheug me erop om de echte brief van Siri Campo dei Fiori te lezen.

Doei,
Nils

Beste (?) Nils,

Ach wat zielig, zeg!
Nadat ik al je sarcastische opmerkingen had verwerkt, zat ik bijna een uur lang naar de regen te turen. Je gelóóft me niet! Eerst zet ik voor jou mijn leven op het spel en gris die prachtige brief vlak voor het hol van de leeuw weg, en wat is dan je dank? Doei en 'Berit Bøyums fantastische notitieboekverhalen'.

Misschien schrijf ik je nu voor de allerlaatste keer, want als je mijn woorden niet gelooft, heeft schrijven eigenlijk ook geen zin. Dan kun je het schrift net zo goed voor jezelf houden. Jij kunt zo veel vuiligheid spuien dat je vast meer dan voldoende hebt om het hele schrift mee te vullen. Dan kun je nog ergens aan snuffelen als je oud en grijs bent. ('ha ha!') Ik geloof trouwens dat je vergeten bent dat ik niet zo lang geleden uit Bergen verhuisd ben en dat ik een stuk of twintig vrienden in Søreide beloofd heb om met hen te schrijven. Verder schrijf ik voortdurend iets nieuws in mijn uiterst persoonlijke notitieboekje. Je moet dit brievenboek dus niet als een KENNISMA-KINGS-advertentie beschouwen, met als thema 'eenzaam en alleen tussen de hoge bergen van de Sognefjord'.

Bovendien geloof ik er niets van dat je mijn verhaal toch niet een klein beetje gelooft. Je bent alleen bang om dom over te komen, zoals de meeste jongens op jouw leeftijd. Maar er is een spreekwoord dat zegt 'wie niet waagt, die niet vindt'. Als je niets van die geheimzinnige brief had geloofd, zou je ook niet de moeite hebben genomen om in de encyclopedie naar die rare woorden te zoeken. Nu heb ik trouwens zelf ook gekeken. Citaat: 'bibliograaf, persoon die zich met bibliografie bezighoudt, boekenkenner'. Je verwart het woord blijkbaar met 'bibliofiel', want dat betekent iemand die verliefd is op boeken. Citaat: 'bibliofiel, boekenliefhebber, persoon die zeldzame en prachtige boeken verzamelt'. Verder klopt het dat 'incunabel' eigenlijk wieg betekent, maar tegenwoordig wordt het alleen nog gebruikt voor boeken die voor het jaar 1500 zijn gedrukt. Citaat: *'incunabel,* boek dat de eerste tijd na de ontdekking van de boekdrukkunst is gedrukt'. Begrijp je het verband nu? De man in het antiquariaat vond het boek over de magische bibliotheek nog zeldzamer dan die oeroude werken die meer dan vijfhonderd jaar geleden werden gedrukt. Dat soort boeken is namelijk voor het grootste deel op verdenking van verspreiding van ketterij door de katholieke kerk verbrand, of ze zijn om andere redenen van de aardbodem verdwenen. Toch moet het nog zeldzamer zijn een boek in handen te hebben dat nog niet is uitgekomen! Om niet te zeggen behoorlijk geheimzinnig, Nils. Ik ben het namelijk met je eens dat de door mij gevonden brief heel ongeloofwaardig is. Dat is echter niet hetzelfde als mij niet geloven!

Is het overigens gemakkelijker om te geloven dat een volwassen vrouw in een boekhandel rondloopt en haar lippen likt omdat ze denkt dat de boeken van chocola en marsepein zijn gemaakt? Of zelfs dat ze tien kronen pakt en die aan een jongen geeft, alleen maar omdat hij een dagboek voor zichzelf wil kopen? (Ik vraag het maar even.)

Je doet me een beetje denken aan de discipel die zijn hele hand in de wonden van Jezus moest steken voordat hij hem geloofde. Ik heb helaas geen andere wonden te vermelden dat die ene grote wond in mijn ziel die jij me vandaag hebt toegebracht, en in dat soort wonden kun je niet zo gemakkelijk je hand steken. Ze genezen trouwens ook niet zo gemakkelijk. Maar ik heb nog iets anders ontdekt, Nils, en als je dat ook niet gelooft, dan bestaat dáárvoor in elk geval een getuige.

Mama is dus aan haar baan in het hotel begonnen, en op die manier heb ikzelf daar dus ook een voet tussen de deur gekregen. Je zult later meer over het leven achter de oude façades te horen krijgen. Nu ga ik alleen vertellen wat ik over de vrouw in het gele huis heb ontdekt:

Ze noemt zich Bibbi de Bok, en de naam alleen al is natuurlijk een geval apart. Maar er is hier niemand die weet of ze echt zo heet, want ze praat met niemand. Het is namelijk zo dat ze import is, net als ik. Ik ben hier tenminste nog geboren, maar Bibbi de Bok heeft haar allereerste stappen nog maar een paar jaar geleden in Fjærland gezet.

Ze heeft een huisje met een mooi uitzicht over de Fjærlandfjord gekocht. Waarom niet, denk je misschien, en wat dan nog? Maar in de weken nadat ze hier in was getrokken, waren er af en toe ondefinieerbare geluiden te horen die uit het huis kwamen. Misschien was ze aan het verbouwen, hier een muur en daar een aanrecht. Misschien, ja, maar die onverklaarbare geluiden waren vooral midden in de nacht te horen. Zo nu en dan klonken er harde knallen...

Ik heb namelijk met de nachtportier van het hotel gesproken, snap je. Ze heet Hilde Mauritzen en is ontzettend aardig. Bovendien is ze de dochter van een parlementslid. (Met andere woorden: heel geloofwaardig. Denk je ook niet?) Ze vertelde trouwens nog iets meer: volgens de geruchten was Bibbi de Bok een soort bibliothecaresse van een grote bibliotheek in Oslo, voordat ze opeens haar koffer pakte en naar Fjærland vertrok.

Kun je in de hoofdstad eens op onderzoek uitgaan? Je moet in elk geval onder Bok zoeken in het telefoonboek van Oslo (ook al woont ze daar niet meer).

Misschien voor het laatst, groeten van Berit

PS. De schrijfster van die geheimzinnige brief heet niet Siri Campo dei Fiori. Ik weet zeker dat ik de brief heel nauwkeurig heb overgeschreven, en er stond: 'Groeten van Siri. Campo dei

Fiori, 8 augustus 1992.' Dat betekent dat die Siri de brief in of op een plaats heeft geschreven die Campo dei Fiori heet. Joost mag weten waar ter wereld dat is, maar soms zijn leestekens net zo belangrijk als letters. Als ik schrijf 'Groeten van Berit. Welterusten!' dan betekent dat niet dat ik Berit Welterusten heet.

PS. PS. Wil je alsjeblieft geloven wat ik je schrijf, Nils? *Please!* Ik denk dat we beter twee regels voor het brievenboek kunnen invoeren, want dat maakt alles veel eenvoudiger.

Regel 1: Het is verboden om in het brievenboek te liegen.

Regel 2: Het is verboden om te denken dat de ander liegt.

Als je deze regels niet accepteert, mag je het hele brievenboek houden. Voor alle zekerheid stuur ik je de sleutel, dan kun je hem aan je moeder geven, want het is toch belangrijk dat in elk geval iemand leest wat jij schrijft? (Hoezo sarcastisch? Ik?)

PS. PS. PS. Hier krijg je ook nog een ander spreekwoord:'Wie het laatst lacht, lacht het best!'

Groeten van Berit. Welterusten!

Beste Berit!

Het spijt me verschrikkelijk. Ik was echt niet van plan je te beledigen, ik wilde je alleen maar een beetje plagen. Je weet toch hoe ik ben. Ruwe bolster blanke pit. (Hm.) Maar als je schrijft dat ik je een 'grote wond in je ziel' heb toegebracht, dan moet ík bijna huilen. Want dat was echt niet mijn bedoeling, ik wist niet dat je zo gevoelig was. Maar dat is dus wel zo, en nu geloof ik je. Want als je niet de waarheid had geschreven, dan had je ook die wond in je ziel niet gekregen en dan zou je heel anders hebben geschreven. Dus geloof ik je. Ik bied je mijn excuses aan en stuur de sleutel terug. Neem hem alsjeblieft aan! Ik beloof je dat ik me vanaf nu aan de tweede brievenboekregel zal houden. Ik zal proberen om ook zelf niet te liegen, maar dat kan wel eens heel moeilijk worden.

Om te laten zien dat ik het serieus meen, ben ik een onderzoek begonnen. Ten eerste heb ik proberen uit te zoeken waar Campo dei Fiori ligt. Ik heb mam gevraagd. Ze schrijft, zoals je weet, novelles in weekbladen, 'om onze financiële situatie te verbeteren en los te komen van de alledaagse werkelijkheid', zoals ze dat noemt.

Ze is nu met een verhaal voor de een of andere wedstrijd bezig, en toen ik haar vroeg of ze wist waar Campo dei Fiori of Piazza Navona ligt, keek ze me aan alsof haar de schellen van de ogen vielen.

'Natuurlijk,' riep ze. 'Het is in Rome gebeurd!'

'Weet je het?' vroeg ik en ik vroeg me af of ze stiekem in het brievenboek had gelezen.

'Ja,' zei ze, 'op Piazza Navona in Rome. Daar hebben we elkaar ontmoet.'

Toen wierp ze zich op de typemachine en ging als een bezetene met de novelle aan de slag. Ze had het dus niet over het brievenboek, maar over die romantische onzin waarop ze zat te broeden.

'Je hebt mij inspiratie gegeven, Nils,' mompelde ze.

Ik weet niet helemaal zeker wat inspiratie betekent, maar ik geloof dat het een soort idee is dat schrijvende mensen krijgen als ze met schrijven beginnen. Maar wat ik haar ook gegeven had, Piazza Navona ligt dus in Rome!

Dat was onderzoek nummer één. Nummer twee heeft me op een spoor gebracht dat me de stuipen op het lijf heeft gejaagd. Als ik gelijk heb, ben je in gevaar, Berit, en het beste advies dat ik je op dit moment kan geven is: blijf bij Bibbi de Bok uit de buurt en verstop al je boeken. Ik heb namelijk een theorie. Dat wil zeggen een idee. Een idee over wie Bibbi de Bok is en wat ze aan het doen is. Nu moet je niet al te bang worden, Berit. Ik weet immers hoe gevoelig je bent, maar het is belangrijk om het hoofd nu koel te houden. Luister.

Ik heb in het telefoonboek van Oslo gekeken, zoals je zei. Daar zag ik een 'Bok NV'. Ik belde en een man nam de telefoon op. Hij had nog nooit van een Bibbi de Bok gehoord. Ik vroeg waar zijn bedrijf zich mee bezighield en hij vertelde dat hij in de levensmiddelenindustrie werkzaam was. Ik ken niet zo veel moeilijke woorden als jij (bibliofiel/bibliograaf. Gesnopen?), dus ik vroeg wat dat betekende en toen vertelde hij dat hun bedrijf in de vleesstad in Furuset stond, en dat ze apparatuur importeerden die ze aan de slachterijen verkochten.

DE VLEESSTAD, Berit!

Ik begon helemaal te trillen, en toen begon ik mijn theorie te bedenken, en nadat ik goed had nagedacht, schreef ik de hele handel op als opstel. Ja, dat heb je goed gelezen. Morgen moeten we namelijk een opstel schrijven en we mogen zelf een onderwerp uitzoeken, en omdat ik alleen maar aan Bibbi de Bok en de vleesstad kon denken, heb ik daarover geschreven. Met naam en toenaam. Ik hoop dat dit geen problemen oplevert. Er is hier vast niemand die Bibbi de Bok kent, en bovendien, als mijn theorie klopt, dan is dat ook niet haar echte naam.

Zoals je ziet heb ik een kopie van het opstel gemaakt en die in het brievenboek geplakt. Ik ben nieuwsgierig wat je ervan vindt. In elk geval, geen paniek, Berit. Als je hulp nodig hebt, kom ik naar Fjærland, ook al moet ik liften en spijbelen. Zoals gezegd: vergeef me en ik hoop dat je wond gauw geneest.

Je neef Nils, die spijt heeft

PS. In vredesnaam: laat Bibbi de Bok het brievenboek niet in handen krijgen, want dan verkeer je mogelijk in levensgevaar.

DE MOORDENAAR UIT DE VLEESSTAD

Birte de Bak likte haar lippen. Ze was heel tevreden over zichzelf. Het was een heel eind van de vleesstad in Oslo naar Fjærland in Sogn, maar het was haar gelukt. Al haar sporen waren uitgewist, en de politie wist niet waar ze moest beginnen. Dat Birte de Bak Bibbi de Bok was geworden, was werkelijk een geniale vondst. Toen ze de naam van levensmiddelenleverancier Bok in de boekhouding van de slachterij tegenkwam, was ze op het idee gekomen en dat was op het nippertje. Ze had er lang over nagedacht wat ze moest doen als ze werd ontmaskerd. Haar naam van Bak in Bok veranderen in haar paspoort was gevaarlijk, maar niet onmogelijk, en Birte had altijd geleefd volgens het motto: wie niet waagt, die niet vindt. Nee, het ontbrak haar niet aan moed.

De bergbeklimster, parachutespringster, gevechtsvliegtuigpilote De Bak. Wat ze tot nu toe had gedaan, was geen kleinigheid. Het probleem was dat ze overal zo gauw genoeg van had. Birte was een buitengewoon hartstochtelijk iemand, maar het was een feit dat haar passies net zo snel verdwenen als ze op kwamen. Behalve die ene: ze was stapelgek op boeken.

Dat was een onverzadigbare liefde. Birte noemde zich bibliograaf, maar in werkelijkheid was ze meer een bibliofiel en dat is iets heel anders. Ze hield van boeken. Dat klopt trouwens niet helemaal. Ze hield ervan boeken te stelen, maar ze las ze nooit. Het gebeurde zelfs dat ze meebetaalde als mensen niet voldoende geld hadden om zelf boeken te kopen, en dat deed ze alleen maar om vervolgens het boek te kunnen stelen. Als ze een boek gestolen had, was het boek niet spannend meer, en dan moest ze weer een nieuw boek stelen. Meteen.

Het drama begon toen Birte de Bak bij een grote bibliotheek in Oslo ging werken. Na werktijd ging ze vaak naar de afdeling voor zeer oude boeken, incunabelen dus. Daar zorgde ze ervoor dat ze aan haar trekken kwam, en geloof maar dat ze het daar naar de zin had. Op een dag kwam een man van het bewakingsbedrijf binnen en hij betrapte haar juist op het moment dat ze een buitengewoon dure incunabel in haar tas stopte. Ik overdrijf niet als ik zeg dat Birte de Bak schrok en bang werd. Maar, voor geen kleintje vervaard als ze was, pakte ze snel de brievenopener die altijd in haar tas zat en ze stak hem recht in de borst van de man van het bewakingsbedrijf. Zijn naam was Roger Larsen.

MAAR WAT MOEST ZE MET HET LIJK DOEN? Toen kwam ze op het idee van de vleesstad in Furuset. Als ze het lijk van Roger Larsen de vleesstad zou kunnen binnensmokkelen en hem tussen het andere slachtvlees zou weten te verstoppen, zou er geen vuiltje aan de lucht zijn. Zo gezegd, zo gedaan.

Hoe Birte het lijk van Roger Larsen de vleesstad wist binnen te smokkelen en hem tussen het andere slachtvlees verstopte, is een ander verhaal, maar ze deed het in ieder geval. Toen ze daarmee klaar was, ontdekte ze dat ze nog een andere passie had: moord. Boeken en moord. Die twee dingen werden het leven van Birte. En alles zou gladjes zijn verlopen, als de dierenarts uit Ås niet net de dieren had gecontroleerd op het moment dat Birte bezig was om Fredrik Wilhelmsen uit Stavern aan de haak te hangen.

'Wat is dit voor dier?' vroeg de dierenarts, en toen begreep Birte *dat het spel uit was. Goede raad was duur. Dat slagersknecht Birte de Bak dat dier had geslacht, wist iedereen. Dat het geen dier was, maar boekhandelaar Wilhelmsen van Wilhelmsens Libris, dat wisten de meeste mensen niet. Maar het kwam uit en Birte moest vluchten.*

Nu zat ze dus hier in Fjærland met een nieuwe identiteit. Ze keek uit over de fjord. Ze was in veiligheid en had eigenlijk tevreden moeten zijn, maar dat was ze niet. Ze verveelde zich en had geen idee wat ze nu moest verzinnen. Ze keek uit op de straat die langs het kerkhof liep. Er kwam een meisje aanlopen, ze was een jaar of dertien, veertien. Ze had een boek in haar hand.

Birte stond op en likte haar lippen. Het kriebelde in haar buik...

Beste 'bloedeigen' neef!

Ik vergeef je, maar je bent wel van lotje getikt! Het ene ogenblik weiger je te geloven dat ik bij het huis van Bibbi de Bok een brief heb gevonden en noem je dat een 'notitieboekverhaal'. Het volgende moment kom je met dat perverse verhaal over 'De moordenaar uit de vleesstad' op de proppen! Volgens mij kijk je te veel video's, ventje.

Heb je dat verhaal over de vleesmoordenaar Birte de Bak geschreven om te vieren dat vanaf nu alles mag, als het maar ongeloofwaardig genoeg is? Maar niet alles is toegestaan. Ik denk dat het beter is dat je het tempo in je onderzoek een beetje omlaag schroeft!

Ik weet niet helemaal zeker of ik je van het overtreden van de eerste regel voor het brievenboek kan beschuldigen, maar het scheelt niet veel. Je enige redding is dat je min of meer bekent dat het hele verhaal verzonnen is. Of beter gezegd een 'theorie' is, dat klinkt wat mooier. Hoe dan ook, ik ben vreselijk benieuwd wat je meester over dat opstel zal zeggen. Volgens mij mag je blij zijn dat je hier pas volgend jaar een cijfer voor krijgt.

Ik vraag me iets af, Nils. Ik bedoel of een verzinsel eigenlijk hetzelfde is als liegen. Soms is dat natuurlijk zo. Bijvoorbeeld als je te laat op school komt en dan maar verzint dat je werd opgehouden omdat je een oud vrouwtje moest helpen dat door de gladheid op straat was gevallen en haar bovenbeen had gebroken – dan lieg je dat je barst. Want dan doe je alsof je de waarheid spreekt, hoewel je weet dat je het alleen maar verzonnen hebt. Maar zo gaat het immers niet altijd.

Als fantasie hetzelfde is als liegen, dan houden schrijvers in elk geval veel van liegen. Ik bedoel: ze leven ervan, en de mensen kopen hun leugenachtige verhalen maar al te graag. Ze zijn zelfs lid van verschillende boekenclubs om al die leugens in de brievenbus te ontvangen.

Volgens mij vinden sommige mensen liegen leuk, terwijl anderen graag voorgelogen worden. Elke gemeente heeft een aantal grote gebouwen waar alle leugens bij elkaar worden verzameld in wat bibliotheken worden genoemd. Je zou ze net zo goed 'leugenlaboratoria' of zoiets kunnen noemen. Je zou een bibliotheek misschien nog het allerbest een 'opslagplaats voor nonsens en feiten' kunnen noemen. Want niet alles wat in al die boeken staat is onzin. Zelfs in een en hetzelfde boek kan zowel waarheid als fantasie staan. Dan is het niet altijd even gemakkelijk om erachter te komen wat wát is. De volledige waarheid is vaak net zo ongelooflijk als leugens en pure verzinsels. Heb je bijvoorbeeld *Het dagboek van Anne Frank* gelezen? Dat is in ieder geval een ongelooflijk verhaal. Maar het is de waarheid! (*Believe me!*) Zo is het omgekeerd ook: sommige verzonnen verhalen zijn zo gewoon en saai dat ze alleen al daarom echt gebeurd lijken. Maar ze kunnen net zo verzonnen zijn als die wilde verhalen uit het heelal. Ik weet er alles van, want wij hebben nu een oersaai Engels lesboek. '*Mary is often on vacation in Norway...* enzovoort.' Maar dat is niet zo, want ze bestaat niet!

Ik weet niet of je van dat toneelstuk over *Peer Gynt* hebt gehoord. Die had in elk geval een heel levendige fantasie. Dat vond zijn moeder niet leuk. 'Peer, je liegt!' zei ze, en dan begint het hele toneelstuk. Verschillende keren roept ze 'leugenbeest' en nog ergere dingen tegen haar zoon, alleen maar omdat hij zoveel fantasie heeft. Weet je wat Peer dan doet? Hij gooit zijn moeder boven op het dak van een molen! Daar zit ze dan tekeer te gaan terwijl Peer naar een bruiloft gaat en zich het leplazarus drinkt. Het eind van het liedje is dat hij de bruid steelt! (Daarna gaat het verhaal natuurlijk nog verder, maar we hebben alleen maar het eerste deel gelezen.)

Maar terug naar Bibbi de Bok. Ook wat haar betreft moeten we onderscheid maken tussen nonsens en feiten. Ik zal een poging doen:

NONSENS: Bibbi de Bok heet 'eigenlijk' Birte de Bak en heeft ten minste twee moorden gepleegd. Ze mag dan wel bergbeklimster, parachutespringster en gevechtsvliegtuigpilote zijn, haar grootste belangstelling gaat uit naar het stelen van boeken. Ze veranderde haar naam en verhuisde naar Fjærland om een aantal ernstige misdrijven te verbergen. Verder was de politie in Noorwegen zo stom om geen portret van haar te laten tekenen zodat ze herkend kon worden. Nou ja, wat maakt een moord meer of minder ook uit? (De dierenarts uit Ås heeft immers gezíen dat zij de moordenares was!)

FEITEN: Niet zo lang geleden is in Fjærland een merkwaardig vrouwmens komen wonen dat zich Bibbi de Bok noemt. Ze loopt door een boekhandel en likt haar lippen omdat de boeken haar aan chocola en marsepein doen denken. (Bron: Nils Bøyum Torgersen.) Ze sponsort bovendien met tien kronen een dagboek met op de voorkant een foto van de Sognefjord. (Bron: Nils Bøyum Torgersen.) Ze heeft een ongelooflijk geheimzinnige brief gekregen van iemand die Siri heet. In de brief wordt gesproken over een boek dat pas volgend jaar zal uitkomen, maar dat toch al ergens in Rome te vinden is. Het boek gaat blijkbaar over een 'magische bibliotheek'. (Bron: Berit Bøyum.) In de weken nadat Bibbi de Bok naar Fjærland was verhuisd, waren er midden in de nacht geheimzinnige geluiden uit haar huis te horen. (Bron: Hilde Mauritzen, dochter van parlementslid Sverre Mauritzen van de liberalen.) Verder heeft ze vaak een oud boek in haar handtas en heeft ze veel belangstelling voor wat twee kinderen op tweeduizend meter boven de zeespiegel in een gastenboek schrijven.

Kun je het nog volgen, Nils? Het kan natuurlijk best zo zijn dat het bij een deel van wat er bij 'Nonsens' staat, om feiten kan gaan. MAAR DAT WETEN WE NIET! En als we als echte detectives te werk willen gaan, kunnen we alleen maar afgaan op de dingen die we zeker weten. Het is uiteraard toegestaan om je fantasie te gebruiken en verschillende theorieën uit te stippelen. Maar dan moeten we proberen erachter te komen of de zaken waar we naar raden, kloppen. (Ik bedoel dat we alleen echte sporen moeten volgen en niet onze eigen fantasiesporen. Dan komen we uiteindelijk in dromenland uit, in elk geval niet in Fjærland).

Ik stel een derde regel voor het brievenboek voor.

Regel 3: We moeten alle gegevens over Bibbi de Bok controleren voordat we daar verder mee aan de slag gaan.

Ga je hiermee akkoord, Nils? Graag antwoord!

PS. Ten slotte moet ik een paar woorden schrijven over de genoegens en zorgen van mijn privé-leven. Ik denk dat ik met de zorgen begin: mijn school is nu ook begonnen, en daar krioelt het van de kleintjes! Het is om te huilen, maar we hebben hier geen apart voortgezet onderwijs. Kun je je zoiets stoms voorstellen? Ik had me erop verheugd om volwassen te worden en naar het voortgezet onderwijs te gaan. Mijn enige troost is dat ik bij oudere kinderen in de klas zit. Ze noemen dit 'geïntegreerd onderwijs'. Ik moet proberen aan die kant een paar vrienden te maken. (Ze denken vaak dat ik al in de hoogste klas zit! *Yes, sir!*)

Dan nu het volgende genoegen dat ik tot op heden heb ontdekt: we hebben een juffrouw voor Noors gekregen! Dat ik dat een genoegen noem, vind je vast en zeker knettergek. Ze is fantastisch! Ze heet Asbjørg, heeft lange, donkere vlechten en lijkt honderd procent op een indianenmeisje! Weet je wat we tijdens de allereerste les hebben gedaan? Juist! We hebben dat toneelstuk gelezen over die leugenaar die zijn moeder boven op de molen gooide!

Je moet meteen terugschrijven! Het beste en toi toi toi met het opstel!

Groeten van je voorname nichtje, Berita Bø Yum

Beste Bø Yum!

Poeh! Wat ga je worden als je groot bent? Detective of filosoof? Zo'n brief als jij hebt geschreven, heb ik nog nooit gelezen, en ik voelde me behoorlijk op mijn nummer gezet. Maar alleen in het begin, want daarna begon ik te denken. Dat is namelijk mijn specialiteit! Ik kan zelfs mijn voorhoofd fronsen en tegelijkertijd mijn oren bewegen. Daar kun je misschien nog iets van leren, Berit. Maar zoals gezegd, ik dacht dus zo diep mogelijk na, en toen bedacht ik dat jouw theorieën niet helemaal kloppen. Maak je veiligheidsriemen vast, Bøyum! Hier volgen enkele gedachten van N.B. Torgersen.

FEITEN: Ik heb in het telefoonboek gekeken en Bok NV gebeld. Daar kreeg ik te horen dat ze nog nooit van Bibbi de Bok hadden gehoord. (Bron: Bok NV.) Daarna werkte ik enkele 'kinderlijke' theorieën uit en schreef een opstel over mijn vermoedens. (Bron: Nils Bøyum Torgersens fantasie.)

Het opstel leverde ik in bij meester Bruun. (Bron: Nils Bøyum Torgersen. Te controleren door contact op te nemen met meester Bruun.)

NONSENS (LEUGENS): Nils Bøyum Torgersen heeft te veel video's gekeken. (Bron: Berit Bøyum, die niet weet waarover ze het heeft. Nils Bøyum Torgersen heeft namelijk helemaal geen videorecorder. (Bron: taxichauffeur Trygve Torgersen en amateur-schrijfster Ingrid Bøyum.))

Bibbi de Bok loopt door een boekhandel in Sogndal en likt haar lippen. (Bron: Berit Bøyum, níét Nils Bøyum Torgersen.)

Ik heb haar in de boekhandel gezien en ik schreef dat ze kwijlde, en dat is iets heel anders dan je lippen likken. Veel smeriger!

Dus: vergeet brievenboekregel 2 niet: Het is verboden om te denken dat de ander liegt.

Regel 3 klinkt prima, maar een beetje fantaseren moet toch ook kunnen. Als we alles moeten controleren, komen we geen stap verder. Een schrijver met de naam Tor Åge Bringsværd heeft een gedicht geschreven dat kort en goed is:

Wie met beide benen op de grond staat
staat stil

Ik vind dat dit heel veel over verzinnen zegt, en ook over lezen. Want als ik een boek lees dat ik leuk vind, lijkt het wel alsof de woorden die ik lees mijn gedachten uit het boek wegvoeren. Het boek bestaat niet alleen uit de woorden of de afbeeldingen op papier, maar uit alles wat ik tijdens het lezen verzin.

Op dit moment lees ik *Winnie de Poeh* in het Engels om de taal te oefenen. Er is een hoofdstuk waarin Roe en Teigetje in een boom zijn geklommen en niet weer naar beneden kunnen. Teigetje beweert namelijk dat hij wereldkampioen in alles is, ook in het boomklimmen. Hij kan alleen omhoog klimmen en is vergeten dat hij niet omlaag kan komen. Om ze omlaag te helpen starten Winnie de Poeh en de anderen een reddingsactie.

Christopher Robin trekt zijn jas uit, zodat Roe en Teigetje daarop kunnen springen zonder gewond te raken. Op dat moment schrijft de auteur A.A. Milne over Knorretje en de bretéls van Christopher Robin.

Knorretje heeft de bretels van Christopher Robin namelijk nog maar één keer in zijn leven gezien en de blauwe kleur ervan heeft hij nooit kunnen vergeten. Het varkentje raakt enorm opgewonden bij de gedachte dat hij ze weer gaat zien. Tegelijkertijd wordt hij vreselijk nerveus, want stel je voor dat ze toch niet zo fantastisch mooi blauw zullen zijn. Stel je voor dat ze alleen maar zo'n gewone, saaie blauwe kleur zullen hebben zoals hij al duizend keer eerder heeft gezien. Christopher Robin trekt zijn jas uit en Knorretje voelt hoe een groot gevoel van geluk in hem opwelt. De bretels zijn namelijk precies zo blauw als hij dacht en Knorretje vindt het een fantastische dag. Hoewel dit verhaal over bretels gaat, gaat het ook nog over iets anders. Het deed me denken aan een foto van een zeilschip aan de muur van een boerderij waar ik op vakantie was toen ik nog klein was. Het was vast een heel gewoon schip, maar voor mij was het de mooiste boot van de wereld. Elke avond vertelde mama mij het verhaal dat ik aan boord van dat schip was en naar verre kusten voer.

En toen moest ik nog ergens aan denken, en dat heeft met jou te maken, Berit.

Weet je nog dat we in de hut op de gletsjer waren en samen chocola aten? Het was prachtig zonnig weer en we waren doodmoe. Toen stopten we elk een stukje chocola in onze mond en jij glimlachte tegen mij.

Jouw glimlach, de smaak van chocola, het feit dat we eindelijk helemaal boven waren, die dingen hadden iets spannends en maakten het met elkaar tot een fantastisch moment. Ik kreeg hetzelfde gevoel toen ik over de bretels van Christopher Robin las.

Daarom vind ik lezen ook zo leuk. Daardoor lijk ik zelf ook een schrijver te worden.

Ik ben nu een beetje in de war, maar het is alsof dat gedoe met Bibbi de Bok mijn fantasie op dreef heeft gebracht en daar heb ik eigenlijk helemaal geen moeite mee.

Ik beloof je dat ik mij in mijn volgende brief helemaal op de zaak-De Bok zal storten. Nu doet mijn hand zo'n pijn dat ik niet verder kan schrijven. Morgen krijg ik mijn opstel terug. Ik vrees het ergste.

Groeten, literatuurprofessor Nils B. Torgersen

PS. Jammer dat er zoveel kleintjes bij je op school zitten. Je moet wel aardig tegen die jongere kinderen doen. Het zijn hoe dan ook mensen!

Nog een keer de groeten van Kleine Nils uit 6b

PS. 2 Wie is Anne Frank?

Best professortje Gedachte uit 6b,

Bedankt voor je brief. Ik moet bekennen dat ik nog nooit een Engels exemplaar van *Winnie de Poeh* in handen heb gehad. Dus die kleine schooljongen maakt me daar toch even een geweldige indruk! Je hebt wel gelijk: als we iets lezen, gebeuren er allerlei dingen in ons hoofd, want ik heb het gevoel dat ik die felblauwe bretels van Christopher Robin ook heb gezien! Misschien zijn alle kleuren van de regenboog ergens diep in onze hersenen opgeslagen, en hetzelfde is vast ook het geval met alle geuren en smaken van de hele wereld. (SAPPIGE PEREN, Nils. Of ZURE BESSEN. Het water loopt me in de mond. Dan moet er toch een of ander geheimzinnig verband bestaan tussen de letters van het alfabet en onze smaakpapillen!)

Ik ben het ook eens met de woorden 'wie met beide benen op de grond staat, staat stil'. Behalve dan dat de aarde zelf in het rond draait. (Iemand heeft eens gezegd dat de wereld een podium is. Mij best, maar dan moet het wel een draaiend podium zijn!)

Omdat je dat minigedicht van Tor Åge Bringsværd meestuurde, ben ik in de 'poëziebundels' van mama gaan graven om te kijken of ik ook iets 'kort en bondigs' voor jou kon vinden. Toen mama dat zag, was ze zo enthousiast dat ze me uitvoerig uitleg begon te geven over een bepaalde dichter met de naam Jan Erik Vold. (Hij is haar lievelingsdichter, snap je. Dat is al zo zolang ik haar ken.) Je hebt hem misschien wel eens op tv gezien. Hij is hartstikke *crazy* en zijn gedichten zijn dat ook. Hij kan bijvoorbeeld lange, moeilijke gedichten schrijven over iets gewoons als een witbrood of een tramrail. Maar hij schrijft ook piepkleine gedichtjes die de hele wereld beschrijven. Luister maar.

de druppel
hangt daar
niet

Wat denk je, Nils? Voor alle zekerheid geef ik je een hoogst-persoonlijke uitleg: je hebt vast wel eens een druppel aan een dakgoot of zoiets zien hangen. Die hangt daar dus, nietwaar? Maar voordat je hem goed hebt kunnen bekijken, hangt hij er niet meer. Zo gaat dat volgens Jan Erik Vold en volgens mij met alles, want alles verandert voortdurend. Ik vind dat dit gedicht de hele wereld beschrijft. Maar het heeft maar vijf woorden!

Nu komt het belangrijkste: nog maar een paar uur geleden stond ik met beide benen op de veerboot vanuit Balestrand. (En toen stond ik niet stil.) Ik zal je het hele verhaal vertellen, want misschien is het van het GROOTSTE BELANG!

Helaas is er een kleine kans dat ik mijn tanden recht moet laten zetten. Alsjeblieft geen medelijden! Ik vertel het alleen maar omdat ik op weg naar huis terug, toen ik van de tandarts kwam, iets idioots heb beleefd. Raad eens wie ik in het cafetaria tegenkwam? JUIST! Bibbi de Bok zat daar over een dik, blauw boek gebogen met een pijp in haar mond! Ik zei dat ZE EEN PIJP IN HAAR MOND HAD, maar dat is eigenlijk het punt niet. Het punt is dat ze opeens in zichzelf begon te praten. Ik was een heel eind achter haar gaan zitten, en ik denk niet dat ze mij gezien had. Plotseling hoorde ik haar zeggen:'Prachtig! Ik vind Djoeie gewoon fantaaastisch!'

Mijn oren begonnen te klapperen, want het is toch niet normaal dat mensen op een veerboot in zichzelf gaan praten, ten-minste niet hier in de Sognefjord. Je verkondigt sowieso niet luidkeels wie je fantastisch vindt!

Toen volgde er nog meer, en dat was nog erger. Ze zei: 'Dinosaurussen... 567,9. Bingo! Rodehond... 618,92. Weer bingo!'

Het volgende ogenblik draaide ze zich naar mij om, alsof ze ogen in haar achterhoofd had en wist dat ik vlak achter haar zat. Ze wees naar het dikke boek, dat minstens net zo blauw was als de bretels van Christopher Robin, en ze zei: 'Djoeie heeft elk klein lekkernijtje zijn vaste plaats gegeven in de bib... bib... bibliotheek.'

(Ik weet heel zeker dat ze begon te stotteren toen ze 'bibliotheek' wilde zeggen.)

Ik vond de situatie niet bepaald prettig. Ik vond het ronduit vervelend om samen met die boekentante in één ruimte te zitten. Misschien dat mijn gedachten ook een beetje bij jouw melige opstel waren. Ik besloot tenminste weg te gaan en liep snel het zonnedek op. Toen ik langs haar holde, viel mijn oog op twee geheimzinnige woorden op het omslag van het blauwe boek. Daar stond 'Decimale classificatie'.

Wat is in vredesnaam 'decimale classificatie'? En wie is 'Djoeie'? Ik daag je uit, Nils. Jij woont hoe dan ook dichter bij de beschaving dan ik. Behalve Bibbi de Bok is er hier gegarandeerd geen mens in een of andere 'decimale classificatie' geïnteresseerd. (Misschien ben ik iets belangrijks op het spoor gekomen, en misschien niet.)

PS. Anne Frank was een Duits meisje van joodse afkomst. Het gezin vluchtte in 1933 uit Duitsland en ging in Amsterdam wonen. Maar toen de Duitsers Nederland bezetten, begonnen ze de joden naar concentratiekampen te sturen. (Het doel was om álle joden in Europa te vermoorden. Ze hebben er zes miljoen om het leven gebracht!) Om het vege lijf te redden dook het hele gezin van Anne Frank onder in een paar geheime kamers achter de winkel waar haar vader had gewerkt. Daar hielden ze zich een paar jaar verborgen voor de Duitsers, en Anne besteedde haar tijd onder andere aan het schrijven in een dagboek. Ze droomde ervan ooit een keer schrijfster te worden en ze hoopte dat haar dagboek na de oorlog misschien uitgegeven kon worden. Toen kwam de catastrofe: in augustus 1944 drongen de nazi's de geheime kamers binnen en het hele gezin van Anne werd naar een afschuwelijk concentratiekamp in Duitsland gestuurd. Daar overleed Anne een paar maanden voor het einde van de oorlog. (Toen ik het boek las, werd ik een paar keer vreselijk kwaad. Soms moest ik ook huilen. Nu huil ik...)

Annes dagboek werd gelukkig gevonden door een paar eerlijke mensen die het goed hebben bewaard. Na de oorlog werd het in bijna alle talen uitgegeven. Dus werd Anne toch schrijfster. Ze heeft een van de beroemdste boeken van de wereld geschreven. Maar ze mocht die faam nooit zelf meemaken! Ik zou je nog veel meer kunnen vertellen, maar als je belangstelling hebt, kun je het boek in de bibliotheek opzoeken. Ik stuur je toch maar een voorproefje. Anne schreef in haar dagboek van 14 juni 1942 tot 1 augustus 1944 (drie dagen voordat de nazi's het huis binnenstormden). Op 20 juni 1942 (toen ze precies net zo oud was als ik nu) schrijft ze:

Ik heb een paar dagen niet geschreven, omdat ik eerst eens goed over het hele dagboek-idee moest nadenken. Het is voor iemand als ik een heel eigenaardige gewaarwording om in een dagboek te schrijven. Niet omdat ik nog nooit geschreven heb, maar het komt me zo voor, dat later noch ik, noch iemand anders in de ontboezemingen van een dertienjarig schoolmeisje belang zal stellen. Maar ja, eigenlijk komt dat er niet op aan, ik heb zin om te schrijven en nog veel meer om mijn hart over allerlei dingen eens grondig en helemaal te luchten. 'Papier is geduldiger dan mensen'.

Begrijp je dit, Nils? Daarna schrijft ze dat ze geen vriendin heeft om mee te spelen. Daarom besluit ze om haar dagboek haar vriendinnetje te laten zijn:

Daarom dit dagboek. Om nu het idee van een lang verbeide vrien-
din nog te verhogen in mijn fantasie, wil ik niet zo maar gewoon als
ieder ander de feiten in dit dagboek plaatsen, maar wil ik dit dag-
boek de vriendin zelf laten zijn en die vriendin heet Kitty.

PS. PS. Heet die beer met dat kleine beetje verstand in het
Engels ook Winnie de Poeh? En hoe heet Knorretje?

Groeten

Berit
schrijft
niet

Beste Djoeie,

Ik

schrijf

nu

zit ik op bed te schrijven

Ik heb vandaag mijn opstel teruggekregen, en je had gelijk: mijn meester was niet echt enthousiast. Onderaan had hij met rood geschreven: 'Je moet je fantasie in toom houden, Nils.' Toen hij me mijn schrift gaf, vroeg hij me om na de les na te blijven, en toen ontdekte ik dat ik iets belangrijks op het spoor was gekomen: blinde kippen kunnen namelijk ook eieren leggen! Ook al heeft de kip de inhoud van het ei niet gecontroleerd voordat ze het legde (hm, hm).

Om er zeker van te zijn dat alles wat ik nu schrijf, uit FEITEN bestaat, heb ik geprobeerd om de ontmoeting Bruun/Bøyum Torgersen precies zo weer te geven als in werkelijkheid het geval was. Ik mag dan misschien een paar woorden vergeten zijn en enkele zinnen raar hebben geschreven, maar als de sfeer en de belangrijkste informatie kloppen, dan zijn het FEITEN. Mee eens? Niet mee eens? Geen idee?

GESPREK TUSSEN MEESTER BRUUN EN LEERLING BØYUM TORGERSEN

Stappen. De laatste leerling verlaat het klaslokaal. De deur gaat dicht. Bøyum Torgersen (hierna genoemd 'leerling') heeft zijn ogen op zijn tafeltje gericht. Meester Bruun (hierna genoemd 'meester') loopt langzaam naar de leerling. Pauze.

MEESTER: Hrrrm.

(Pauze.)

37

MEESTER: *(ernstig)* Zo, Nils? Wat zullen we hiervan zeggen?

LEERLING: *(zenuwachtig)* Ik weet het niet, meester.

MEESTER: Kijk je veel video's?

LEERLING: Nee. We hebben geen videorecorder.

(Weer een pauze.)

LEERLING: Mag ik nu gaan, meester?

(De leerling komt half overeind.)

MEESTER: Wacht even, Nils.

(De leerling gaat zitten.)

LEERLING: Goed.

MEESTER: Heb je er wel eens aan gedacht dat het gevaarlijk is om namen te gebruiken als je zulke bloedstollende verhalen schrijft?

(De leerling bloost.)

LEERLING: Hoezo namen?

MEESTER: Als ik een verhaal over een massamoordenaar zou schrijven en hem Nils Bøyum Torgersen zou noemen, dan zou je dat toch ook niet leuk vinden?

LEERLING: *(zacht)* Jawel, hoor.

MEESTER: Wat zei je?

LEERLING: Niets.

MEESTER: Besef je wel dat er echt een Bibbi de Bok bestaat?

(De leerling probeert te verbergen hoe opgewonden hij raakt, en probeert zijn stem zo normaal mogelijk te laten klinken.)

LEERLING: O ja, echt waar? Dat... wist ik niet.

MEESTER: Ze is een vriendin... een kennis van mijn vrouw.

LEERLING: *(hees)* Echt waar?

MEESTER: Ja, ze zaten bij elkaar op de bibliotheekacademie.

LEERLING: *(opgewonden)* Op de bib... bib... bib...

MEESTER: Ja.

LEERLING: Samen met Djoeie?

MEESTER: Hè?

LEERLING: Zat Djoeie daar ook op?

MEESTER: *(spreekt Dewey letter voor letter uit)* Bedoel je D E W E Y?

LEERLING: O, heet hij zo?

MEESTER: Dewey zat niet op de bibliotheekacademie. Hij heeft een catalogiseringssysteem voor de bibliotheken opgesteld.

LEERLING: *(in de war)* Ja, juist.

MEESTER: *(geïrriteerd)* Wat heeft Dewey hiermee te maken?

LEERLING: *(zacht)* Dat vraag ik me nu juist af.

MEESTER: Wat zei je?

LEERLING: *(snel)* Niets.

MEESTER: Laten we bij de zaak blijven.

LEERLING: Ja.

MEESTER: Weet je zeker dat je Bibbi de Bok niet kent?

LEERLING: *(langzaam)* Ja… Ik ken haar niet.

MEESTER: Tja, Nils. Ik praat hier met jou over om je te laten zien dat je voorzichtig moet zijn met het gebruik van namen. Je weet nooit of je iemand misschien op zijn tenen trapt.

LEERLING: Welke tenen?

MEESTER: Ik bedoel alleen maar dat we moeten zorgen dat we niemand pijn doen. Vind je dat ook niet?

LEERLING: Ja, meester!

MEESTER: Het zou misschien het beste zijn geweest om een minder bloedstollend onderwerp te kiezen.

LEERLING: *(doet alsof hij dat ook vindt)* Ja, meester.

MEESTER: *(glimlacht)* En, Nils...

LEERLING: Ja?

MEESTER: Het is niet 'Wie niet waagt, die niet vindt.'

LEERLING: *(verward)* O nee?

MEESTER: Het is 'Wie niet waagt, die niet wint.'

LEERLING: Dat zal ik onthouden, meester.

(De meester geeft de leerling een schouderklopje. Ze gaan naar buiten. De meester merkt niet dat de leerling trilt van spanning.)

EINDE

Dit zijn feiten, Berit! Wat vind je? De puzzelstukjes beginnen op hun plaats te vallen, denk je ook niet? Bibbi de Bok heeft op de bibliotheekacademie gezeten. Wat ze daar deed, weten we nog niet. Maar dat kan en zal ik uitzoeken. Het is zeker dat ze een speciaal gevoel voor bibliotheken heeft ontwikkeld, en voor een systeem dat een figuur met de naam Dewey heeft ontworpen. Als jij daar meer over kunt ontdekken, zal ik hier in Oslo in het verleden van De Bok gaan wroeten.

Laat het me weten als ik het mis heb, maar voorzover ik het begrijp, proberen we nu twee zaken uit te vogelen:

1. We proberen achter de waarheid over de geheimzinnige Bibbi de Bok te komen.

2. We proberen een boek te vinden dat over een jaar uitkomt.

Wat punt 1 betreft, zijn we al een eind op weg. Over punt 2 weten we nog geen sikkepit.

Maar Berit, mijn ziekelijke fantasie zegt me dat wanneer we deze twee raadsels oplossen, we tegelijkertijd antwoord krijgen op een derde vraag, en dat is dan het eigenlijke punt, waarvan we nu nog niet weten wat dat is.

Ik weet dat dit abracadabra is, maar wilde gedachten hebben ons al eerder op het juiste spoor gebracht, dus waarom niet nog een keer.

Groeten,
Nils

PS. Winnie de Poeh heet Winnie the Pooh in het Engels. Knorretje heet Piglet. Het is een goed boek, een paar uur van je jonge leven meer dan waard.

Weledelgeboren Nils Bøyum Torgersen,

Ik ben onder de indruk. Besef je wel dat je een heel toneelstuk hebt geschreven? Ik denk daarbij natuurlijk aan 'Gesprek tussen meester Bruun en leerling Bøyum Torgersen'. Mooie titel, trouwens! Ook al is het toneelstuk waarschijnlijk niet voldoende voor een hele avond in het theater, het is in elk geval een hele sketch. Dit kun je heel goed, Nilsje. De vraag is of je geen dramaturg moet worden, net als Henrik Ibsen. Ik vond tenminste dat het stuk wel wat op *Peer Gynt* leek (Nils, je liegt!), ook al gooide je je meester niet op de lessenaar omdat hij klaagde dat je je fantasie niet in toom wist te houden. Maar de spanning was goed voelbaar. Ik was bang dat hij je aan het eind een klap zou verkopen.

Ik ben onder de indruk omdat er hoe dan ook toch iets met dat opstel is bereikt. Ik vind wel dat je meester er te gemakkelijk van af is gekomen. Zijn vrouw kent Bibbi de Bok immers! Ik begrijp dat je niet durfde te bekennen dat je haar zelf ook kende, maar je moet niet opgeven. Voorstel: de volgende keer dat je die Bruun onder vier ogen spreekt, herhaal je gewoon dat je Bibbi de Bok niet kent... maar dan zeg je dat je haar best zou willen leren kennen. Nee, dat is niet voldoende... Dan moet je zeggen dat je haar toevallig één keertje hebt ontmoet en dat je haar zo'n gek mens vond dat je graag meer van haar wilt weten. Dát moet genoeg zijn. Als hij vragen gaat stellen, moet je iets verzinnen. Nu heb je een echt FEITENSPOOR dat je gewoon *to the bitter end* moet volgen.

Verder ben ik zojuist in de bibliotheek geweest. (Fjærland heeft eindelijk zijn eigen openbare bibliotheekje gekregen op de begane grond van het bejaardenhuis.) Ik liep naar binnen en liep langs de boekenkasten. Eerst kreeg ik het vreselijke gevoel dat er veel te veel boeken zijn die ik nog niet heb gelezen. Toen overwon ik mijn angst en kreeg ik in plaats daarvan

43

het heerlijke gevoel dat er een heleboel spannende boeken zijn die erop liggen te wachten om door mij gelezen te worden. Volgens mij raakte de bibliothecaris onder de indruk toen ik een hele tijd voor al die gedichtenbundels bleef staan en af en toe een stukje las. Wat ze niet wist, was dat ik alleen gedichtenbundels van Jan Erik Vold inkeek. Hierbij een kleine tekst. (Ik heb altijd een pen en notitieboekje bij me.) Hou je vast!

OVER DE KREWELIJKHEID

– de krewelijkheid
zeg je, de krewelijkheid
is veel krewelijker
dan de werkelijkheid, vind

je niet? Ja, dat is wel
waar, antwoord ik, maar
de werkelijkheid
is toch werkelijker.

Jij zegt: Wat
helpt dat
tegen de krewelijkheid, zo
krewelijk als die is!

Wat denk je, Nilsje? Dit is vast wat ze langs elkaar heen praten noemen. Maar als de werkelijkheid en krewelijkheid elkaar kruisen, is dat misschien onvermijdelijk?

Als Bibbi de Bok nu eens een spion van de krewelijkheid is? Sowieso: als de krewelijkheid de werkelijkheid gaat binnendringen, hebben we pas werkelijk (!) een probleem...

Terug naar de bibliotheek. De bibliothecaris kwam al snel naar me toe en vroeg of ik naar iets bijzonders op zoek was.

44

'Eigenlijk niet,' zei ik.

Toen zei ik: 'Hebben jullie iets van Djoeie?'

Ze glimlachte begrijpend. Ze trok me mee naar de balie en pakte een dik, blauw boek uit een van de kasten. HET WAS PRECIES HETZELFDE BOEK ALS WAARIN BIBBI DE BOK OP DE VEERBOOT ZAT TE LEZEN. De titel was *Deweys decimale classificatie.*

000 Algemene geschriften

010 Bibliografie
020 Bibliotheekvakken en
informatiewetenschap
030 Algemene encyclopedieën en
conversatielexica
040 (Niet in gebruik)
050 Periodieken met algemene of
gemengde inhoud
060 Algemene organisaties en
musea
070 Journalistiek, uitgeverijen,
kranten
080 Geschriften met algemene of
gemengde inhoud
090 Manuscripten en zeldzame
boeken

100 Filosofie en aanverwante
vakgebieden

110 Metafysica
120 Andere metafysische
theorieën
130 Overgevoelige fenomenen en
aanverwante onderwerpen
140 Aparte filosofische systemen
150 Psychologie
160 Logica
170 Ethiek
180 De filosofie van de oudheid,
de middeleeuwen en het
oosten
190 Recente westerse filosofie

200 Religie

210 Natuurgodsdienst
220 De bijbel
230 Christelijke theologie
Christelijke dogmatiek

240 Christelijke ethiek en
opbouw
Kerkelijke kunst
250 Pastorale theologie en
priesterschap
Het leven van de kerkelijke
gemeente
260 De kerk, zijn wezen, instel-
lingen en werkzaamheden
270 Historische en geografische
indeling van de georgani-
seerde christelijke kerk
(Kerkgeschiedenis)

280 Christelijke kerkgemeen-
schap en sekten
290 Andere religies,
godsdienstgeschiedenis,
vergelijkende godsdienst-
wetenschap

300 Sociale wetenschappen

310 Statistiek
320 Staatswetenschappen en
politiek
330 Economie (Sociale economie)
340 Rechtswetenschappen
350 Openbaar bestuur
De uitvoerende macht
Defensie
360 Maatschappelijke problemen
en sociale dienstverlening:
verenigingen
370 Pedagogiek
380 Handel, post en telecom-
municatie, handelsverkeer
390 Onderzoek volksleven en
folklore

400 Taal en taalwetenschappen
410 Linguïstiek
420 Engels en Angelsaksische
talen
430 Germaanse talen
Duits
440 Romaanse talen
Frans
450 Italiaans, Roemeens, Reto-
Romaans
460 Spaans en Portugees
470 Italische talen
Latijn
480 Griekse talen
490 Andere talen

500 Natuurwetenschappen
Wiskunde

510 Wiskunde
520 Astronomie en aanverwante
wetenschappen
530 Fysica
540 Chemie en aanverwante
wetenschappen
550 Aardwetenschappelijke
vakken
560 Paleontologie
570 Biologische vakken
580 Botanica
590 Zoölogie

600 Toegepaste wetenschappen

610 Medische wetenschap
620 Technologie
Techniek
630 Landbouw en aanverwante
wetenschappen
640 Huishoudelijke vakken en het
gezinsleven
650 Administratie en algemene
bedrijfsleiding

660 Chemische technologie,
chemische industrie,
metallurgie
670 Industrie
680 Handwerk en diverse
industrieën
690 Huizenbouw en bouwhand-
werk

700 Kunst

710 Gebiedsplanning en land-
schapsarchitectuur
720 Architectuur
730 Plastische kunst
Beeldhouwkunst
740 Tekenkunst en kunsthand-
werk
750 Schilderkunst
760 Grafische kunstuitingen
770 Fotografie
780 Muziek
790 Vrijetijdsactiviteiten,
amusement, atletiek en sport

800 Literatuur

810 Amerikaanse literatuur (in
het Engels)
820 Engelse en Angelsaksische
literatuur
830 Literatuur der Germaanse
talen
Duitse literatuur
840 Literatuur der Romaanse
talen
Franse literatuur
850 Italiaanse, Roemeense en
Reto-Romaanse literatuur
860 Spaanse en Portugese
literatuur
870 Literatuur der Italische talen
Latijnse literatuur

Dewey, Nils. Dat was een figuur die eens een ongelooflijk ingewikkeld systeem heeft gemaakt voor de ordening van de vakliteratuur in een bibliotheek! Het gaat erom dat alle boeken over verschillende onderwerpen een bepaald nummer hebben van 0 tot 999. Verder zijn er van die hoofdgroepen en subgroepen waardoor elk boek zijn vaste plaats krijgt. Ik heb een overzicht van de hoofdgroepen in Deweys systeem gekregen en dat plak ik in het brievenboek. Tussen alle getallen zit een eindeloos aantal subgroepen met komma's, decimalen en andere enge tekens. (Volgens mij was Mr. Dewey gek op wiskunde.) Wat je hier ziet is dus niet meer dan een uittreksel. Dit hele gecompliceerde systeem vult een dik, blauw boek dat ik in elk geval niet in mijn boekenkast zet. Let trouwens op de allerlaatste hoofdgroep: '990 Geschiedenis van andere delen van de wereld en *van de buitenaardse wereld'*. Ik zou graag een paar van die boeken inkijken. Misschien gaan ze wel over de krewelijkheid!

PS. Als je nog verder in het verleden van Bibbi de Bok gaat graven, ontdek je misschien waar de hond begraven ligt. Pas dan op dat hij je niet in je gezicht bijt. Meer zeg ik niet.

Groeten van Berit Bib Liotheek

Bericht van Nils voor Berit

We komen steeds dichter bij ons doel. Er bestaat een magische bibliotheek! En die is van Bibbi de Bok! Ik weet het. Ik heb meneer Bruun gebeld om hem onder vier ogen te spreken, zoals jij voorstelde, maar hij nam niet zelf de telefoon op, maar een vrouw.

'Spreek ik met Bruun?' vroeg ik.

'Ja,' zei de vrouw.

'Kan ik hem spreken?'

'Nee,' zei de vrouw, 'hij is niet thuis. Kan ik een bericht doorgeven?'

'Met wie spreek ik?' vroeg ik.

'Met Aslaug Bruun. Ik ben de vrouw van Reinert.'

Even wist ik niet wat ik moest zeggen, maar toen drong het opeens tot me door dat ik de bron zelf aan de lijn had. Ik begon te trillen, maar probeerde mijn stem zo kalm mogelijk te laten klinken.

'Wij tweeën hebben heel wat te bespreken, mevrouw Bruun,' zei ik ijskoud.

'O ja?'

'Yep' zei ik. 'Bibbi de Bok bijvoorbeeld.'

'Wat?'

'Café Skalken vanmiddag om zes uur. Ik draag een bloem in mijn knoopsgat zodat u me kunt herkennen.'

Toen legde ik op. Ik voelde dat ik bloosde. Zoals je weet ben ik behoorlijk verlegen en probeer dat vaak te verdoezelen door me extra stoer voor te doen. Ik voelde me nogal dom, maar tegelijkertijd kreeg ik een soort detectivevlinders in mijn buik. Ik zat op het spoor. Maar zou de prooi toehappen? Ik twijfelde, maar plukte een verlepte roos uit de bloemenvaas die op de salontafel stond en ging op weg naar café Skalken.

Ben je wel eens in dat café geweest, Berit? Niet doen. Het is vast een van de engste kroegen van Europa. Ik was de deur nog niet binnen of ik had er al spijt van.

Het was er bijna pikkedonker. Vast vanwege de klanten, van wie velen het daglicht niet kunnen verdragen. Ze hebben er maar een stuk of vier tafeltjes en toen ik binnenkwam, waren ze allemaal onbezet, op één na. Daar zat een krant. Ja, zo zag het er tenminste uit, want ik kon alleen de krant zien, niet wie erachter zat. Dat zag ik pas later, maar dat vertel ik je straks.

Op dat moment voelde ik me niet bepaald een detective, maar alleen een snotjochie dat zich met een bloem in zijn knoopsgat belachelijk stond te maken. Ik deed alsof er niets aan de hand was en bestelde een glas fris, maar behalve pils en bokbier hadden ze alleen maar maltbier en dat vind ik vreselijk vies.

Ik had juist bedacht dat mevrouw Bruun niet zou komen, toen ze verscheen.

'Heb jij me gebeld?' vroeg ze.

Ik pakte de bloem uit het knoopsgat en gaf hem aan haar.

'Wat moet ik daarmee?'

Ze keek me wat verbaasd aan en tegelijkertijd leek ze vreemd vrolijk.

'Een cadeautje,' mompelde ik, 'sorry voor het ongemak.'

Nu moest ze pas echt lachen. De krant aan het tafeltje naast ons ritselde.

'Het is geen ongemak. Waar wil je over praten, mijn jongen? Is er iets met Bibbi aan de hand?'

Ze knipoogde tegen me.

Volgens mij was dat de bekende druppel. Als er iets is waar ik niet tegen kan, dan zijn dat volwassenen die 'mijn jongen' zeggen en tegen me knipogen alsof ik een kind ben.

'Nee,' zei ik ijskoud. 'Ik wil alleen maar over haar praten.'

Ik nam een slok van het lauwe maltbier.

'Het gaat om de magische bibliotheek.'

Als ik gezegd zou hebben dat ik bewijzen in handen had dat

Bibbi de Bok de Noorse Bank had beroofd, had ze niet verbaasder kunnen kijken.

'De magische...'

'... bibliotheek,' zei ik kalm en ik zag dat een kale kop van achter de krant aan het tafeltje naast ons te voorschijn kwam.

'Weet jíj daarvan?' vroeg ze.

'Ja,' zei ik, 'we hebben redenen om aan te nemen dat het boek over de bibliotheek volgend jaar uitkomt.'

'We?'

Nu had ik natuurlijk moeten zeggen dat ik met 'we' de mensen van het privé-detectivebureau Bøyum & Bøyum bedoelde. In plaats daarvan knikte ik alleen maar.

'Dan is het haar dus gelukt,' zei mevrouw Bruun. 'Op de bibliotheekacademie had ze het er altijd over dat er in onze bibliotheken een afdeling ontbrak. Zij noemde dat...'

'... De magische bibliotheek van Bibbi de Bok,' fluisterde ik.

Mevrouw Bruun knikte.

Meer kreeg ik niet uit haar. Ze vertelde dat ze Bibbi de Bok sinds de bibliotheekacademie niet meer had gezien, en dat iedereen haar daar vreemd had gevonden. Als ze vroegen wat voor magische bibliotheek ze bedoelde, had ze alleen haar hoofd geschud en gezegd dat ze daar wel achter zouden komen als de tijd rijp was. Ze had grootse plannen, en die wilde ze geheimhouden tot ze die gerealiseerd had.

Daarna betaalde Aslaug Bruun mijn maltbier en ze zei dat ze de roos aan Reinert zou geven met de groeten van een leuke jongen. Ze vertrok en ik bleef zitten met mijn glas nog halfvol.

Ik had het brievenboek meegenomen. Ik pakte het om het gesprek met mevrouw Bruun op te schrijven terwijl het nog goed in mijn hoofd zat. Toen gebeurde er iets geks, iets engs. De man naast mij legde de krant opzij en kwam naar me toe.

Ik voelde me verstijven. De ober was in de keuken en alleen

de kale man en ik waren in het café. Hij boog zich naar me toe, en Berit, hij grijnsde! Het was geen vriendelijke grijns, het leek wel alsof hij alleen zijn mondhoeken optrok om zijn tanden te laten zien. Opeens liet hij me een videocassette zien met een foto van een bloedend boek met een mes erdoorheen en hij zei op zachte, lijzige toon, alsof hij vriendelijk wilde zijn zonder daarin te slagen: 'Heb je zin om je boek tegen deze videocassette te ruilen?'

'Video...' fluisterde ik hees.

'Ja, *The Phantom of the Library*. Ik weet zeker dat je hem mooi vindt.'

Maar toen was ik het zat, Berit.

Ik rende café Skalken uit en liep zo snel ik kon. Langs het Frognerpark, naar de kruising bij Majorstuen, de Bogstadveien door de Vibesgate in tot ik thuis was.

Ik heb geen idee of die kale Grijns me achtervolgde, maar hij heeft in ieder geval gehoord waar ik het met Aslaug Bruun over had, en om de een of andere reden wilde hij ons brievenboek beslist lezen.

Dit is een behoorlijk eng mysterie! Ik zal in elk geval opgelucht ademhalen als ik het schrift morgen verstuur.

Nu weten we tenminste wel dat Bibbi de Bok al van een magische bibliotheek droomt sinds ze op de bibliotheekacademie zat.

Alles wijst erop dat ze zo'n bibliotheek echt heeft gemaakt en één ding weet ik zeker, Berit: als we de bibliotheek vinden, dan lossen we ook het mysterie op van het boek dat nog niet is uitgekomen!

Maar waar moeten we zoeken? Dat probleem laat ik aan jou over. Nu moet ik naar bed. Ik droom vast van een kale kop en een gluiperige grijns.

Groeten van hoofdinspecteur Torgersen

Hoofdinspecteur Torgersen, Bøyum & Bøyums Boeken-controle,

Ik ben geschokt! Ene'Siri'vindt dus een boek in Rome met een titel waarin een 'magische bibliotheek' voorkomt. Het probleem is alleen dat erin staat dat het pas volgend jaar zal uitkomen. Dan begaat hoofdinspecteur Torgersen de brutaliteit te veronderstellen dat die 'magische bibliotheek' – het onderwerp van een nog te schrijven boek – de eigen bibliotheek van Bibbi de Bok is. Hij schrijft een armzalig opstel dat hem naar een zekere Aslaug Bruun leidt, en zij bevestigt dat Bibbi de Bok 'grootse plannen' met een 'magische bibliotheek' heeft gehad.

Bingo!

Toch klopt er iets niet. Waarom besefte Siri niet dat die magische bibliotheek iets met Bibbi de Bok te maken had? En als dat boek in haar hand werkelijk *De magische bibliotheek van Bibbi de Bok* heette, waarom herinnerde ze zich dan niet de volledige titel? Dat is niet logisch, Nils. Misschien dat Aslaug Bruun je alleen maar naar de mond heeft gepraat. Misschien dacht ze dat je getikt was. Ze moet dat krankzinnige opstel van jou toch gelezen hebben, aangezien ze bereid was om jou in dat café te ontmoeten.

Over die enge 'Grijns' hoef je je volgens mij geen zorgen te maken. (Het is immers bekend dat jij op klaarlichte dagen vaak spoken ziet.) Maar ik geef toe dat het een beetje raar is dat hij het brievenboek tegen een video wilde ruilen. Wat moest hij ermee? Hoe dan ook ben ik heel erg blij dat je hebt geweigerd!

Nu over mij. Ja, ja... Ik durf het haast niet te zeggen, maar ik gebruik sinds kort lippenstift. Om je te laten zien welke kleur ik gebruik, geef ik het brievenboek een kusje:

Wat vind je ervan?

Als je denkt dat dit gedoe met de lippenstift niets met Bøyum & Bøyum te maken heeft, dan heb je het mis. Ik heb namelijk een nieuwe vriendin die in de hoogste klas zit. Ze heet Randi Mundal, en ik ben er niet helemaal zeker van of ze aandacht aan mij zou hebben besteed als ik geen lippenstift zou hebben gebruikt. Randi woont in Opper Mundal en is de naaste buur van Bibbi de Bok. Dat betekent niet dat ze dicht bij elkaar wonen, want hier hebben we geen gebrek aan ruimte. (Bibbi de Bok heeft er uiteraard ook voor gezorgd dat ze 'ietwat ongestoord' woont, zoals dat heet.) Maar Randi heeft Bibbi de Bok in elk geval vaak genoeg gezien om te begrijpen dat ze hartstikke knettergek is. En hoofdinspecteur Torgersen, denk aan het volgende voordat je weer de bush in trekt: het is al een paar keer voorgekomen dat Bibbi de Bok, als ze met de laatste boot uit Hella aankomt, een zware koffer met zich mee sleept als ze naar het gele huis gaat. Het stomme van koffers is dat je er niet zo gemakkelijk achter kunt komen wat erin zit. Soms had die tante alleen maar een boodschappennetje bij zich, en Randi Mundal heeft verschillende keren gezien dat het net propvol zat met… ja, precies: boeken dus! Misschien is ze zo'n boekenverslinder, die een keer een miljoen kronen heeft gewonnen die ze alleen aan leesvoer besteedt. Maar ze sleept niet alleen nieuwe boeken aan. Een deel ervan is zéér oud. (Zouden dat misschien echte incunabelen zijn?) Er zijn dus veel dingen die erop wijzen dat ze probeert een echte boeken-collectie aan te leggen.

Gisteren was ik voor het eerst bij Randi op bezoek. Toen ik

weer naar huis ging, liep ik natuurlijk Bibbi de Bok tegen het lijf. Ze kwam van de veerboot. Ze had inderdaad een net bij zich en daarin zaten boeken. MAAR: het waren van die grote ringbanden die we ook op school gebruiken! (Boeken die nog niet zijn uitgekomen? Ik vraag maar.)

Weet je wat ze zei toen we elkaar passeerden?

'Nou?' zei ze en ze keek me onderzoekend aan. 'Hoe gaat het eigenlijk met jullie?'

Met 'jullie'? Met wie dan? En wat bedoelde ze met hoe het ging? Bedoelde ze Randi en mij? Of bedoelde ze Bøyum & Bøyum?

Misschien had ze het over het brievenboek, Nils! Misschien wist ze dat jij het schrift hebt gekocht zodat wij elkaar konden schrijven. Maar hoe kon ze dat weten? Ze is toch niet helderziend?

'Gaat wel,' zei ik en meer werd er niet gezegd.

Maar er is ook nog iets anders. Ik heb het allerbeste tot het laatst bewaard.

DIE VROUW HEEFT INTERNATIONALE CONTACTEN! Nu heb ik het gezegd! Omdat we ons met bronnenonderzoek bezighouden, vertel ik je het hele verhaal.

Een van de vrouwen die het hotel beheren, heet Billie en zij komt oorspronkelijk uit Engeland. (Dat was trouwens degene die met het voorstel kwam om elkaar via een brievenboek te schrijven en dat tussen Oslo en Fjærland heen en weer te sturen. Kun je je haar nog herinneren?) Haar achternaam weet ik niet met zekerheid, dus noem ik haar maar Billie Holiday. (De eerste keer moest ze lachen, maar nu is ze er kennelijk aan gewend.) Aardig type, dat graag een praatje met nieuwe bewoners van het dorp maakt, vooral als moeder in de keuken staat om zes dagen per week een viergangenmenu te maken. Toen vroeg ik heel discreet (zo heet dat toch?) of ze wist wat voor werk de vrouw in het gele huis deed. Weet je wat ze antwoordde? Je krijgt niet een heel toneelstuk, maar wel één repliek:

BILLIE HOLIDAY: *(supersnel met gepaste glimlach)* Dat vraag ik mezelf ook af. Ze krijgt in elk geval heel veel post. Pakketten en zo uit alle delen van de wereld. Volgens mij zijn het boeken, Berit. Ik heb een paar keer stiekem in haar pakketten gekeken, moet je weten. Gisteren kwam er een pakket uit Italië, echt waar. Het was afkomstig van iemand met de naam Bresani...

Wat denk je, Nils? Als hoteldame heeft Billie Holiday natuurlijk een goed contact met het postkantoor en juist dat kantoor is Bibbi de Boks venster naar de wereld. Volgens mij zit ze daar in Opper Mundal brieven naar geheimzinnige antiquariaten over de hele aardbol te schrijven.

Dus herhaal ik mijn vraag: wat spookt die vrouw hier in een nauwe fjordarm aan de westkust van Noorwegen eigenlijk uit? We hebben het misschien wel over de meest afgelegen plek van het hele universum. Misschien juist daarom?

Toen ik die laatste brief van je kreeg, werd alles nog mysterieuzer. Als ik de moed had gehad, had ik haar huis misschien wat beter moeten bekijken. Tot nader order kunnen we er in elk geval van uitgaan dat het vol boeken staat.

PS. Dit weekend ga ik naar Bergen om papa te bezoeken. (Ik ga alleen. Ik geloof niet dat mijn ouders elkaar momenteel kunnen verdragen.) En nu bedenk ik iets wat misschien niet zo dom zou zijn. Ja, werkelijk! Daar denk ik nú pas aan! (Ik krijg vaak een heleboel goede ideeën onder het schrijven.)

Papa is naar de Promsgate verhuisd en schept erover op dat hij de naaste buurman is van de zeer beroemde misdaadschrijver Gunnar Staalesen. En wij zijn bezig een soort misdaadverhaal te ontrafelen, we zijn in elk geval een soort detectives.

Maar daarover wilde ik eigenlijk niet met de schrijver praten. Ik dacht alleen maar dat als er volgend jaar echt een boek uitkomt over een 'magische bibliotheek', er ook ergens een schrijver moet zijn die op dit moment aan dat boek zit te werken. WANT EEN BOEK ONTSTAAT NIET VANZELF! Ik bedoel natuurlijk niet dat het Gunnar Staalesen moet zijn, maar het is toch niet ondenkbaar dat schrijvers met elkaar praten over waar ze op dit ogenblik mee bezig zijn? Er bestaan schrijversverenigingen en zo...

Nu moet je me vertellen wat je ervan vindt, Nils! Als je meteen terugschrijft, heb ik het brievenboek misschien terug voordat ik koers zet naar Bergen.

PS. PS. À propos Gunnar Staalesen. Heb je zijn twee boeken over de vikingschat gelezen? (*Het geheim van de vikingschat* en *De vloek van de vikingschat*) Ik heb alleen het eerste gelezen, zo'n echt roversverhaal in Indiana Jones-stijl. Met andere woorden: echt iets voor jou, die zich bedreigd voelt door een kale bierdrinker in café Skalken.

Groeten, de helft van Bøyum & Bøyum

Beste Berit Lippum Rood!

Hou je vast, nichtje: ik ga vrijdag op reis!

Vraag: Waarheen? Antwoord: Naar Rome. Vraag: Ga je naar Rome? Antwoord: Ja. Vraag: Waarom?

Antwoord: OMDAT MAM EEN NOVELLEWEDSTRIJD MET HET THEMA 'DE STAD VAN MIJN JEUGDLIEFDE' HEEFT GEWONNEN.

Weet je nog dat ik schreef dat ik haar inspiratie had gegeven toen ik vroeg of ze wist waar Piazza Navona was? (Zie brievenboek pagina 19.)

Die inspiratie heeft ze gebruikt om een novelle te schrijven die ze voor een wedstrijd van een weekblad heeft ingezonden.

De eerste prijs was een reis naar de stad waar de winnaar voor het eerst verliefd was geweest, en mam heeft een verhaal geschreven dat ze pap had ontmoet op... raad eens waar... PIAZZA NAVONA!

Is het kwartje al gevallen, Berit? B.B. ontvangt geheimzinnige pakketten met boeken (?) uit Italië. Het geheimzinnige antiquariaat waar Siri het over had, ligt in Rome.

Bestaat er een verband? Misschien kan ik dat raadsel over vijf dagen oplossen als mama, papa en detective N.B. Torgersen in Rome zijn.

Ik beloof je dat ik het antiquariaat zal vinden, ook al moet ik elk nauw straatje en elk steegje bij Piazza Navona uitpluizen. Vertrouw op mij!

Even terug naar mama's novelle, die was vreselijk romantisch en een grote leugen. Mam en pap zijn allebei nog nooit in Rome geweest. Ze hebben elkaar in de taxi met het nummer AB 604 op weg van Grünerløkka naar Majorstua ontmoet. Dat verhaal is dus gelogen, maar dan ook écht gelogen, want ze doet alsof het waar is, en ze krijgt zelfs een prijs omdat de mensen die bij het weekblad werken, denken dat het waar is. Of misschien geloven ze het niet, maar geven ze haar de prijs omdat ze denken dat de lezers zullen geloven dat het waar is. Als dat zo is, is mam niet de enige die liegt, maar de drukkers van het verhaal ook, en als de lezers denken dat het waar is, dan worden ze voor de gek gehouden, maar als het hun niets uitmaakt of het waar is of niet, wat zijn zij dan? Kun je me daar antwoord op geven? Ik weet het namelijk niet.

Maar dit is niet het moment voor een diepgaande literatuurtheorie. Houd je bij de zaak-De Bok, Torgersen!

Beste Berit met De Rode Mond, ik heb een voorstel:

Terwijl ik in Rome op zoek ga naar het boek over de magische bibliotheek, kun jij misschien de bibliotheek gaan zoeken waarover het boek zal gaan. Ik ben wel bang dat je dan een 'nauw contact van de derde categorie' met mevrouw (juffrouw?) De Bok moet aangaan. Trefwoord: HET GELE HUIS! Je zou bijvoorbeeld…

Nee, vergeet het maar. Het is te gevaarlijk. Niet doen. Dat zijn geen taken voor meisjes. Hoewel de sleutel tot het huis misschien de sleutel tot het hele mysterie is.

Nee, hou je maar rustig tot ik terugkom, maar als je Gunnar Staalesen in Bergen ontmoet, doe hem dan de groeten van mij. Ik zal Henrik Ibsen bellen als ik in Rome ben. Mam heeft me verteld dat hij daar is geweest. Misschien is hij daar nog steeds, wie weet.

Il Nilso

PS. Als je om de een of andere reden ondanks mijn waarschuwingen toch in de buurt van B.B. en H.G.H. mocht komen, kijk dan eens of je pas geplaatste boekenkasten ziet. Begrijp je me?

PS. 2 Ik stuur je hierbij een kopie van mama's novelle, dan kun je zien hoe eenvoudig het is om een buitenlandse reis te winnen.

PS. 3 Ik stuur je ook de foto die het weekblad van ons hele gezin heeft gemaakt, dan kun je zien hoe ik sinds de zomer ben gegroeid.

PS. 4 Hartelijk bedankt voor de fijne kus. Een mooie versiering van het brievenboek.

DE STAD VAN MIJN JEUGDLIEFDE

Herinner je je Rome, liefste? De Sint-Pieterskerk, het Colosseum, het Pantheon, de Spaanse trappen en Piazza Navona? Of ben je alles vergeten? Is onze liefde verbleekt als foto's in een oud album? Zie je de kleuren en het licht van onze jeugd niet meer, toen onze liefde een bloeiende rode roos was en het leven eindeloos leek?

Ik kijk naar je, liefste, terwijl je met een afwezige uitdrukking op je gezicht in de schommelstoel zit. Je wiegt voorzichtig heen en weer, als een boot op de rivier van het leven op weg naar de grote oceaan. Ik zie de blauwe aderen van je handen, de diepe rimpels in je voorhoofd en je goudgele haar dat een zilverkleur heeft gekregen. Ja, Gabriel, de bloei van ons leven zijn we allang gepasseerd. Jij bent vijfentachtig en ik drieëntachtig. Toch, als de zon zoals nu door het raam naar binnen valt, en ik de contouren van je gezicht tegen een achtergrond van bloeiende appelbomen en een azuurblauwe hemel zie, lijkt het alsof je rimpels worden gladgestreken, en je haar door de gouden zonnestralen wordt gekleurd. Dan zie ik mijn jonge geliefde weer in de schommelstoel zitten. Ik voel dat ik vanuit de merkwaardige ruimte tussen verdriet en vreugde vervuld raak van gevoelens, en door de caleidoscoop van tranen zie ik beelden van die dag, die dag, die dag...

'Shit,' zei ik en keek naar het kapotte bandje. Dat dit nou híér moet gebeuren. Op Piazza Navona in Rome. Omringd door Italianen, Britten, Denen en Joost mag weten wie nog meer. Daar stond ik dan zonder een cent op zak en met een kapotte sandaal in de hand.

*De dikke Duitser had hem volledig doormidden gescheurd toen hij
op mijn voet ging staan.*

*'Entschuldigung,' had hij gezegd. Dat kon hij gemakkelijk zeggen.
Het was niet zijn sandaal. En hij was geen eenentwintigjarige arme
Noorse kunststudent die het restant van haar spaargeld had
gebruikt om naar Rome te reizen om de fantastische plafondschilde-
ringen van Michelangelo in de Sixtijnse kapel te bewonderen.*

*'Shit,' herhaalde ik geïrriteerd. Mijn dag was stuk. Ik kon beter
maar meteen teruggaan naar het goedkope pension waar ik logeerde en waar ik al voor twee nachten had betaald.*

'Shit! Shit! Shit!'

'Is er iets, juffrouw?'

*De diepe, sensuele, wat plagerige stem deed mijn hoofd op hol
slaan.*

*Jíj was het. Dat wist ik toen nog niet, ook al wist mijn hart het
misschien al wel. Want het hart heeft zijn eigen wijsheid en begrijpt
wat het brein niet kan bevatten.*

*'Nee hoor, er is niets,' zei ik een beetje verward. Mijn stem klonk
vast nog een beetje geïrriteerd. Ik hield mijn hand voor de ogen tegen
de zon, want jij had de zon in de rug.*

*'Word je verblind door mijn Scandinavische schoonheid?' vroeg
je.*

Ik moest lachen.

'Vooral door de zon achter je,' antwoordde ik.

'Dat is de zon niet, dat is mijn glorie.'

Ik zocht naar een gevat, grappig antwoord. Jij was me voor.

'Er is zeker iets met je sandaal.'

'Ja,' zei ik. 'Het bandje is gescheurd.'

*Toen boog je je voorover. De wind woei door je haar toen je op
Piazza Navona in Rome op je knieën voor me lag.*

*Herinner je je dat, Gabriel, of ben je het vergeten? Een meisje op
blote voeten in café Creco en daarna over de Corso Vittorio Emanu-
ele, over de Tiber in de richting van het Sint-Pietersplein. Herinner*

je je de schoenwinkel en het kleine voetje dat in een splinternieuwe Italiaanse sandaal stapte, terwijl jij lachend mijn zwakke protesten wegwuifde? Herinner je je de kus? De eerste. Die nacht waarin we elk een munt in de Trevi-fontein hebben gegooid met de wens om ooit nog een keer terug te keren. Herinner je je de ring die je in de kelderwinkel hebt gekocht? De lange wandeling naar Hotel Siena, waar onze kleine bengel werd verwekt?

Ik kijk naar je, Gabriel. Je hebt je ogen dicht. Je ademt regelmatig. Om je lippen speelt een glimlach en mijn hart weet dat ook jouw dromen je naar Rome laten terugkeren. De stad van onze jeugdliefde.

Kies een simpel, goedbetaald beroep. Word schrijver.

Groeten van de kleine bengel

Beste Il Nilso Pava Rotti,

Het is niet eerlijk! Eerst schrijf ik trots dat ik in mijn eentje naar Bergen ga om papa te bezoeken, en misschien zelfs een vertrouwelijk gesprek over het tuinhek met de zeer beroemde misdaadschrijver Gunnar Staalesen kan regelen. Dan breit tante Ingrid zo'n mierzoet sprookje in elkaar dat jou een gratis weekendtrip naar Rome oplevert! Alf Prøysen schreef in een liedje 'dat iedereen wel een nicht of neef in het stadje Gjøvik heeft'. Maar volgens mij klopt dat niet en wonen er veel meer verwende neven en nichten in Oslo.

Als pleister op de wond ben ik bijna gedwongen mijn leven in Opper Mundal te riskeren, terwijl jij in de een of andere ristorante spaghetti zit te slurpen. Want laat dit meteen duidelijk zijn: IK BEN ER GEWEEST!

Hierbij mijn relaas.

In de eerste plaats heb ik besloten geen bevelen aan te nemen van een jochie dat last van zijn hormonen krijgt, alleen maar omdat zijn nichtje lippenstift is gaan gebruiken. ('Beste Berit Lippum Rood'!) Daarna ben ik naar Hotel Mundal gegaan om in de keuken snel een gehaktbal in de wacht te slepen.

Toen drong het opeens tot me door. Ik zag dat Bibbi de Bok op pad was, en dus niet thuis was. Mijn enige heldere gedachte was dat ik de volgende ochtend naar Bergen zou gaan en dat het niet leuk zou zijn om het hele weekend een slecht geweten te hebben omdat ik niet de moed had gehad om juffrouw De Bok met een bezoekje te vereren. Ik bedacht ook dat het goed zou zijn om een stap verder in ons onderzoek te komen voordat ik naar Bergen zou gaan om die bekende misdaadschrijver te ontmoeten…

Ik dacht niet meer aan de gehaktbal en holde naar het gele huis zodra Bibbi de Bok de rijksweg had bereikt. Het feit dat de kust veilig was, bracht mijn hoofd op hol. Ze woonde immers in haar eentje, bedacht ik...

Ik sprong weer achter het muurtje (zodat de engelen in de hemel me niet zouden zien!) en toen sloop ik naar het huis. Ik voelde voorzichtig aan de deur... en die was open! Dat was misschien niet zo heel vreemd, want veel mensen in Fjærland doen hun deur nooit op slot. Maar ze hebben natuurlijk ook niet veel te verbergen...

Ik keek achterom en ging naar binnen, Nils. Pas nu drong het écht tot me door: volgens mij dacht ik dat Bibbi de Bok op weg was naar het buitenland – net als Nilsje – en pas over een paar dagen terug zou komen. TOEN GING IK NAAR BINNEN!

Ik stond in een hal waar in een hoek een hele stapel papiersnippers lag. Vanaf die plek kon ik in de keuken kijken, en het was zonneklaar dat Bibbi de Bok geen huishoudelijke hulp had. Ik opende een deur die naar een kleine woonkamer leidde.

Nu ben je zeker nieuwsgierig? Wat dacht je van mij?

Ik ging ervan uit dat ik in een kamer zou komen die zo propvol boeken zou staan dat ik alleen al om die reden ademhalingsproblemen zou krijgen. Maar weet je wat ik vond? Ik vond geen enkel boek, zelfs geen weekblad.

Ik was zo teleurgesteld, maar ook zo boos dat ik het hele huis begon te doorzoeken, net als zo'n slordige politie-inspecteur die niet eens een huiszoekingsbevel heeft geregeld. Ik holde van kamer naar kamer, ook naar de eerste verdieping. En waag het niet te zeggen dat ik niet goed uit mijn doppen heb gekeken. Ik zag een onopgemaakt bed met roze linnengoed (!), een nachthemd van het allerdoorzichtigste soort, een hemelsblauwe ochtendjas en een oubollige wekkerradio. Dat was Bibbi de Boks slaapkamer. In de badkamer lag zoveel crème en cosmetica, daar kun je alleen maar van dromen, en de badkuip zat vol lauw badwater (!). In bijna alle kamers stonden bovendien asbakken vol smerige pijpen.

MAAR ER WAS GEEN ENKEL BOEK TE BEKENNEN! Dat viel me natuurlijk het meest op. Ze was zelfs geen lid van de boekenclub. Ook had ze geen encyclopedie en ook geen bijbel of liedboek. Ik was zo teleurgesteld dat ik niets vond, dat ik ook in laden en kasten ging kijken. (Voorzichtig, Nils. Je weet dat ik bij dat soort dingen heel voorzichtig te werk ga.) Maar ik vond zelfs geen notitieboekje. Ik was helemaal duizelig toen ik de trap af sloop.

Ik kwam pas weer bij mijn positieven toen ik in de woonkamer terug was. Toen was het te laat: door het raam zag ik dat Bibbi de Bok aan kwam lopen. In haar ene hand had ze een draagtas met boodschappen. In de andere hand had ze een postpakket.

Ik wist dat ik geen enkele kans had om ervandoor te gaan, en op zulke momenten ga je of schreeuwen of je zoekt bliksemsnel een plek om je te verstoppen. Ik koos voor het laatste, want schreeuwen had toch geen enkele zin gehad. Ik kroop achter een hoge bank van het ouderwetse soort en drukte me tegen de muur aan. TOEN KWAM BIBBI DE BOK DE KAMER BINNEN! Ik zat dus in de val. Ik had mezelf opgesloten en moest mezelf algauw toespreken dat ik geen adem moest halen.

Ze kwam de kamer binnen en legde het postpakket op tafel. Ik kon niets zien, maar ik hoorde dat ze het papier in razend tempo kapotscheurde.

'Prachtig,' zei ze tegen zichzelf. 'Heerlijk...'

Na een tijdje hoorde ik haar weggaan, daarna werd het volkomen stil. Een paar minuten later hoorde ik voetstappen op de bovenverdieping.

Weet je wat ik toen deed? Juist! Ik kroop te voorschijn en ging staan. Op de tafel lagen een paar dikke boeken die zojuist uit een heleboel grauw pakpapier waren gepakt. Ik gunde me geen tijd om ze beter te bekijken, ik gunde me zelfs geen tijd om mijn kleren af te kloppen. Ik holde de hal in en deed de

klink van de buitendeur omhoog. Toen stond ik op het grind-
pad...

Nu ben je zeker opgelucht? Wat dacht je hoe ik me voelde?

Dat betekende natuurlijk niet dat ik ook al weer veilig thuis
was bij mama. Ik moest ten eerste bij het huis zien weg te
komen zonder gezien te worden – en dat durfde ik niet, Nils.
Ik trilde zo dat mijn benen weigerden in beweging te komen,
ze leken wel van pudding. Ik moest daarnaast diep ademhalen
om de schade van daarnet in te halen.

Toen hoorde ik haar in de hal. Weet je wat ik toen deed? IK
BELDE AAN!

Dit zul je misschien nooit begrijpen en dat komt misschien
doordat je geen meisje bent. Ik was zo bang dat ik het niet op
een hollen durfde te zetten. Er gewoon vandoor gaan zou hetzelfde zijn als bekennen dat ik had ingebroken. Maar ik kon
ook niet gewoon blijven staan. Dus belde ik aan.

Ze deed meteen de deur open – en ze nam me met die bijzondere blik in haar ogen op. Toen zei ze: 'Zo, ben jíj het?'

Ze leek stomverbaasd, maar ik vermoed dat ze in werkelijkheid toch niet zo verbaasd was.

Ik wist niet goed wat ik moest zeggen. 'Ik wilde alleen...'

'Ja, wat wilde je, Berit?'

Berit! Ze had onze namen dus gezien toen we ons in de hut
op de gletsjer in het gastenboek inschreven. Ik denk dat ze ons
op de een of andere manier in de gaten houdt. Wie schaduwt
wie, bedoel ik. *You see?* Toch vond ik het wel merkwaardig dat
ze zomaar mijn naam gebruikte.

'Ik wilde alleen vragen of u lootjes wilde kopen,' zei ik.

Lootjes kopen, Nils! Het leek wel alsof ik niet zelf die woorden zei.

Ze was heel kort: 'Zo... en voor welk goed doel?'

Ik moest iets verzinnen.

'Voor de schoolbibliotheek,' mompelde ik.

Ze begon te stralen: 'Geweldig! En de prijzen?'

'Dat zijn natuurlijk boeken.'

(Wat had ik anders moeten zeggen?)

Ze smakte een paar keer en likte in ieder geval een of twee keer haar mond af.

'Fantaaastisch,' zei ze.

Ze deed een stap in mijn richting. Toen zei ze op haast dreigende toon: 'Ik koop het hele boekje met loten. Alle loten. Ha ha!'

Ze stak haar hand uit. Ik staarde haar aan, want ik had immers geen loten.

IK HAD GEEN LOTEN! En, Nils, op dat moment haatte ik je. Ik zag een rotkereltje voor me dat met zijn mama en papa in Rome spaghetti zat te eten, en ik geloof dat ik hoopte dat de een of andere maffioso een bom in de spaghettischaal had gestopt.

Eerst voelde ik in mijn zakken, toen stak ik beide handen naar voren. Ik zei: 'O, dat is waar ook... ik ben het vergeten.'

Juffrouw De Bok glimlachte net zo liefjes als die kwaadaardige schoonmoeders in sprookjes.

Ze zei: 'O, is dat zo. Haastige spoed is zelden goed...'

En toen heb ik het gezegd, Nils.

'Ik dacht dat het in mijn zak zat... maar misschien heeft Nils het meegenomen.'

Ze keek me recht aan. Als ze nog even langer had gekeken, had ze volgens mij een gat in me gekeken.

'Dus nu is het boekje onderweg naar Rome?' zei ze. 'Waarom ook niet? Waarom ook niet, Berit Bøyum?'

Ze wist dus dat jij in Rome was. Ik herhaal: BIBBI DE BOK WEET DAT JIJ IN ROME BENT! Wees voorzichtig, Nils! (Het probleem is alleen dat je deze waarschuwing niet op tijd zult krijgen...)

De rest ging snel. Bibbi de Bok liep doelbewust op me af en deed haar ene hand omhoog. Ik wist zeker dat ze me zou slaan. Nu lopen de rillingen je vast over de rug, en dat is prima, want dat gebeurde bij mij ook!

Had ze me maar geslagen! Dat zou eigenlijk veel beter zijn geweest. Maar Bibbi de Bok streek me eventjes over mijn trui en spijkerbroek. Ik weet zeker dat ze van lotje getikt is. Ik bedoel: wat betekende dat mierzoete gestreel?

Ze zei: 'Volgens mij zit je onder het stof, meisje. Dat vind ik níét leuk!'

Toen rende ik weg. Ik bleef rennen en de tranen liepen me over de wangen. Ik rende weg van een hysterisch vrouwmens dat me hatelijk nariep: 'Ha ha. Daar heb je me mooi voor de gek gehouden! Ha ha!'

Dat gebeurde gistermiddag en nu zit ik (gelukkig) op de veerboot naar Hella. Ik heb vannacht bijna niet geslapen, dus nu stop ik en verstuur het brievenboek vanuit Balestrand voordat ik met de snelboot verderga. Ik heb gewoon geen zin om het mee te nemen naar Bergen. Ik wil ontspannen en samen met papa genieten – zonder nog aan Bibbi de Bok of Il Nilso Pava Rotti te denken die met zijn mama en papa op huwelijksreis is naar Rome.

Mijn samenvatting van het gebeurde is ongeveer als volgt:

1. Bibbi de Bok neemt nog steeds boeken mee naar huis.

2. Toch is er in het hele huis geen boek te vinden.

Conclusie: Bibbi de Bok zet de boeken niet in de kast om ze te lezen, maar doet er iets anders mee. Misschien gebruikt ze ze als brandstof. Het is ook niet helemaal ondenkbaar dat ze ze opeet. Misschien blancheert ze de boeken en stopt ze het mengsel in haar eten? Geen idee, maar graag antwoord!

Groeten van Berit Bøy en Yum Onder De Bank Van Bibbi de Bok

PS. Ik beloof niets over die misdaadschrijver en hoop dat je je in de spaghetti verslikt. Want op dit moment heb ik de balen van alles!

PS. PS. Ik begrijp niet hoe Bibbi de Bok kon weten dat je in Rome bent! Je hebt haar toch geen ansichtkaart gestuurd?

Beste Berit,

Een uur geleden kwam ik thuis, ik vond het brievenboek en heb meteen je brief gelezen. Het wordt steeds merkwaardiger. En geheimzinniger. Ik probeer een verband te vinden en heb een soort theorie waarom je geen enkel boek in het huis van B.B. hebt gevonden. Maar ik ben bang dat mijn brein niet groot genoeg is.

Gelukkig zit er een helder verstand in Fjærland (als het verstand tenminste mee terug is gekomen uit Bergen).

Hier volgt het verslag van 'Nils Bøyum Torgersens wonderbaarlijke reis'.

We kwamen vrijdagmiddag dus in Rome aan en namen onze intrek in Hotel Mondial. Toen mama de paspoorten inleverde om ze in de kluis te laten opbergen viel me een man op die in een leunstoel in de receptie zat. Hij was klein en kaal, maar ik herkende hem aan zijn glimlach. Hij glimlachte tegen me, maar eigenlijk was het geen gewone glimlach. Hij was gemaakt en bijna... angstaanjagend. Ja, Berit. Hij was het. De Grijns uit café Skalken!

Het afgelopen jaar ben ik een beetje onder mijn armen gaan zweten. Ik ben vast 'een puber' aan het worden, zoals pap dat noemt. Nu zweette ik als een otter. (Zweten otters trouwens?)

Wat deed de Grijns hier? Was hij mij gevolgd? Om het brievenboek in handen te krijgen? Waarom dan? Ik begreep er niets van, alleen dat ik doodsbang was en dat de hamerslagen die ik hoorde, vanuit mijn hart kwamen.

In je brief schreef je dat Bibbi de Bok wist dat ik in Rome was. Misschien heeft zij hem hierheen gestuurd om redenen die we nog niet kennen? Op dat moment bedacht ik dat niet, maar als ik denk aan alles wat er daarna gebeurde, lijkt dit de enige verklaring.

Ik stond daar dus te zweten en als 'een puber' te stinken terwijl de Grijns glimlachte en die figuur achter de balie de sleutel aan mama gaf en EEN BRIEF AAN MIJ!

Ja, er was een brief voor me bij de receptie! Ik begreep er niets van, stopte hem vlug in mijn zak en liep achter mama en papa aan die al op weg waren naar de lift. Ze waren zo in elkaar en in hun 'liefdesstad' verdiept dat ze niet hadden gemerkt dat ik een brief had gekregen.

Toen we op onze kamer aankwamen, ging ik naar de badkamer en haalde de brief te voorschijn. Ik plak hem in dit schrift als bewijsmateriaal.

In deze stad woont een oud heerschap
Hij mag dan doof zijn, maar blind is hij niet
Zijn liefde is jong en fris en knap
Er leven duizend boeken in zijn gebied
Dante, Petrarca, Homerus en Ovidius
zijn schatten in het huis aan de Tiber-rivier
Ga naar Piazza Navona. Neem de tijd dus
zaterdag om twaalf. Wees niet bang hier

Steek de Via dei Coronari over, die is welbekend
Bij Ponte Umberto is het huis met de boeken
en een kamer met een oude vent
Geef hem dit, en als hij problemen gaat zoeken
zeg hem dan dat hij weet wie de afzender is
die komt voor een schat en een geheimenis

Ik las het en eerst begreep ik er geen snars van, maar opeens gingen me de ogen open. Het gedicht was een soort code! Een code die me naar het antiquariaat bij Piazza Navona moest brengen!

Maar wie had het geschreven? En waarom? Ik begreep er absoluut niets van, maar ik wist dat ik de volgende dag op de een of andere manier naar het huis bij Ponte Umberto moest gaan.

Zaterdagochtend zouden we naar de Sint-Pieterskerk gaan. Ik deed alsof ik hoofdpijn had en zei dat ik liever in het hotel wilde blijven om uit te rusten. Om de een of andere reden vonden ze dat goed. Het heeft zo zijn voordelen om 'een puber' te zijn.

Ik wachtte tien minuten nadat ze vertrokken waren, toen rende ik naar buiten, vond Piazza Navona, stak de Via dei Coronari over en sprintte naar Ponte Umberto aan de Tiber, en daar vond ik hem.

Het was een kleine boekhandel in een nauwe zijstraat recht tegenover de brug. De ramen waren stoffig en erachter lagen stapels oude boeken. Op de deur zat een koperen bordje met 'M. Bresani' erop! Ja, dat heb je goed gelezen. Dezelfde naam als de afzender op de pakketten voor Bibbi de Bok. Ik trilde als een rietje.

Ik opende de deur en ging naar binnen. Het volgende ogenblik bevond ik me in een soort schatkamer met boeken. Hoewel het donker en stoffig was, was het alsof de boeken schitterden. Ik kan het niet op een andere manier uitleggen.

Het vertrek stond vol boeken met prachtige leren banden, boeken met gouden letters, boeken met tekeningen die zo mooi waren dat het leek alsof ze niet gedrukt maar regelrecht op het papier geschilderd waren, boeken met omslagen die met piepkleine glanzende parels bedekt waren, boeken met lettertypen die zo ouderwets waren dat ik de letters zelfs niet kon lezen en boeken waarvan het papier op oud behangpapier leek, waar de letters van af leken te bladderen.

Het was net alsof je een delicatessenwinkel met boeken binnenkwam, als je begrijpt wat ik bedoel, en bijna alle boeken waren oud. Ik geloof niet dat ik verbaasd zou zijn geweest als ik een bijbel gezien zou hebben die voor de geboorte van Jezus gedrukt was. Ik zeg dit zodat je de sfeer in dit antiquariaat een beetje kunt voelen.

Want ik was natuurlijk in het antiquariaat! Hetzelfde antiquariaat als waar die geheimzinnige Siri was geweest toen ze die brief aan Bibbi de Bok stuurde. Nu was ik dus ter plaatse. Vanwege een andere geheimzinnige brief, of gedicht. Ik stond vlak voor de oplossing. Als het boek dat in 1993 gaat uitkomen bestaat, moest het vlakbij zijn.

Met uitzondering van de boeken en mij was het daarbinnen helemaal leeg. Geen M. Bresani. Achter de toonbank hing wel een groot gordijn. Ik liep erheen en trok het opzij. Achter het gordijn was een nog kleiner vertrek. Tegen de achterwand stond een tafel, die vol lag met papieren, penselen en flesjes met verf. Een scherp licht van een plafondlamp scheen op de tafel en er zat een man aan met de rug naar me toegekeerd en met gebogen hoofd.

'M. Bresani,' fluisterde ik, maar hij gaf geen antwoord.

'M. Bresani,' herhaalde ik. Hij ging door met tekenen.

'M. Bresani!' brulde ik, maar hij verroerde zich niet. Ik liep naar hem toe en porde hem in de rug. Hij draaide zich om en lachte vriendelijk naar me.

'M. Bresani?' zei ik voor de vierde keer.

Hij antwoordde niet, en ik begreep dat het de dove man in het gedicht moest zijn. Ik haalde het tevoorschijn en gaf het hem zonder iets te zeggen. Hij bestudeerde het nauwkeurig, terwijl ik mijn adem inhield. Toen glimlachte hij. Een echte glimlach! Hij trok een la open en pakte er een dikke, gele envelop uit.

Toen gebeurde het merkwaardigste en engste tot nu toe.

Op het moment dat M. Bresani mij de gele envelop wilde geven, stopte hij midden in de beweging en bleef hij naar iets achter mij staren.

Ik draaide me om en wie denk je dat daar stond? Juist, de

Grijns in hoogsteigen, akelig persoon. Ik kon niet zien of hij lachte want zijn gezicht zat achter een videocamera verscholen. Hij stond ons te filmen, Berit!

Toen liet hij de camera zakken en inderdaad: hij lachte als een valse slang. (Kunnen valse slangen lachen?) Toen fluisterde hij met een fluweelzachte stem: 'Volgens mij is die envelop van mij!'

Hij was alsof hij zijn tanden liet zien. Hij zag eruit als, ik weet niet hoe ik het moet uitleggen, maar heb je het sprookje van Roodkapje gelezen? Dan herinner je je vast de wolf die in bed lag en probeerde op haar grootmoeder te lijken. Precies zo zag de Grijns er nu uit: als de wolf in het bed van de grootmoeder toen Roodkapje met koekjes en limonade binnenkwam. De rillingen lopen me over de rug bij de gedachte. Ik had geen idee wat er gebeurde, alleen dat ik moest maken dat ik wegkwam, en snel ook!

Ik griste de gele envelop uit de vingers van de antiquair, gaf de Grijns een duw zodat hij de videocamera op de grond liet vallen. Wie weet, Berit. Misschien heeft dat mijn leven gered. Hij boog zich voorover om hem op te pakken en ik stormde het antiquariaat uit in de richting van Piazza Navona.

Ik bleef rennen tot ik op de hotelkamer was. Daar kwam ik op adem terwijl ik het sierlijke handschrift op de envelop las. Daar stond: Bibbi de Bok, Postbus 85, 5855 Fjærland, Noorwegen.

En op de achterkant: M. Bresani, VIA DEI CORONARI 5, ROME, ITALIË.

Ik weet dat het niet aardig is om brieven van anderen te lezen, maar er is iets wat 'nood breekt wet' heet, en dit was echt een noodgeval.

Ik opende de envelop. Er zaten vijf vellen papier in. Op elk papier stond 'Bibbi de Boks magische bibliotheek' in verschillende soorten letters geschreven.

Nu breek ik nog een wet. Ik stuur de vellen papier niet naar

Bibbi de Bok, maar naar jou. Dan mag jij uitzoeken wat ze te betekenen hebben en wat we ermee moeten doen. Ik begrijp er namelijk steeds minder van.

Ik stopte de envelop in mijn koffer en ging naar bed, waar ik bleef tot mama en papa terugkwamen, gelukkig en smoorverliefd. Nu wilden ze naar een restaurant. Ze dwongen me mee te gaan hoewel ik nu écht hoofdpijn had en eigenlijk alleen maar zin had om op mijn kamer te blijven tot we terug zouden gaan naar huis.

Gelukkig zag ik de Grijns niet meer en zondagmiddag namen we het vliegtuig naar huis.

Het is nu halftwaalf zondagavond. Ik ben bekaf, maar ik ben vast iets vergeten. O ja, mijn theorie. Jij vindt hem misschien maar niets, maar een betere heb ik niet.

Bibbi de Bok is een boekensmokkelaar. Ze is lid van een internationale liga die zeldzame boeken steelt en ze naar Fjærland stuurt, waar zij ze doorverkoopt aan rijke boekenverzamelaars over de hele wereld. De codenaam van die liga is 'Bibbi de Boks magische bibliotheek'. Zowel Bresani als de Grijns zijn lid van de liga en nu proberen ze ons te strikken. Twee argeloze kinderen! Ja, Berit. Dit klinkt afschuwelijk, maar we leven in een afschuwelijke wereld. Sommige mensen smokkelen verdovende middelen, anderen smokkelen boeken.

Als dit klopt, dan verklaart dit waarom Bibbi de Bok geen boeken thuis heeft. Maar dan moet je ergens anders op onderzoek gaan, Berit. Want waar denk je dat de boekenverzamelaars logeren als ze in Fjærland zijn? Juist! In Hotel Mundal. Weet je nog dat we op de zolder waren waar in vroeger tijden de kamermeisjes sliepen? Misschien dat haar opslagruimte daar is? Nu moet ik gaan slapen. Ik ben in de war, doodmoe en wordt gekweld door zweet en pukkels.

Groeten van Nils

Het spel is afgelopen, Nils!

We zijn dat kinderachtige spelletje begonnen om een vrouw te bespioneren die zich wat vreemd gedroeg. Daarna speelden we een zomer lang detectiefje en noteerden autokentekens voor het geval er iets geheimzinnigs zou gebeuren. Maar nu is het over en uit!

Nadat ik je brief had gelezen, heb ik een lange wandeling gemaakt om alles nog eens goed te overdenken. Ik liep langs het Gletsjermuseum, stak de Bøya-rivier over en liep helemaal naar de trekkershut. Daar is het nu in de herfst zo prachtig met al die lijsterbessen en de goudgeel gekleurde bomen...

Wie had dat gedicht bij de receptie van het hotel afgegeven? Het moet toch iemand zijn geweest die wist dat jij naar Rome zou gaan. (Aan hoeveel mensen heb je dat verteld?) De volgende personen komen in aanmerking: *De Grijns* (ik geloof niet dat hij toevallig in Rome opdook), *Bresani* (die duidelijk bezoek verwachtte) en uiteraard *Bibbi de Bok* (die wist dat je op weg was naar Rome).

Al deze mysterieuze personen wisten dat je naar Rome zou gaan MAAR HOE WISTEN ZE DAT?

Volgens mij doen ze allemaal aan het spel mee. Maar aan welk spel?

Nu Bibbi de Bok wist dat je naar Rome zou gaan, wist ze vast ook in welk hotel je zou logeren. Het zou me niet verbazen als zij dat gedicht geschreven had dat je bij Bresani bracht. We weten immers al dat hij een van haar internationale contacten is. (Je logeerde in Hotel Mondial, Nils. Niet in Hotel Mundal, dus. Ik zeg het maar even. Toeval?)

Ja, het was vast juffrouw De Bok die je naar Bresani heeft gestuurd. Toch was zij niet degene die je naar Rome heeft gestuurd. Dat was toch een weekblad? Ik begrijp er niets meer van!

Misschien moet je proberen om wat meer over die wedstrijd te weten te komen.

Ik weet niet of ik je moet bedanken dat je die rare papieren naar mij hebt gestuurd en niet meteen naar Bibbi de Bok. Ik heb ze in een andere envelop gestopt, er 'Bibbi de Bok' op geschreven en ze via Billie Holiday naar het postkantoor laten gaan. Zonder postzegel en afzender, we zien wel hoe het afloopt. (Voordat ik de papieren verstuurde, heb ik er fotokopieën van gemaakt en die plak ik in het brievenboek.)

Ik denk dat de papieren met de tekst 'Bibbi de Boks magische bibliotheek' op vijf verschillende manieren geschreven misschien verschillende voorstellen zijn voor de titelpagina van een boek dat volgend jaar uitkomt en dat dus *Bibbi de Boks magische bibliotheek* heet. (Maar het is wel merkwaardig dat Siri het al geschreven boek in handen had!?!) Als dit niet klopt, zijn de vijf vellen papier misschien een ontwerp voor een poster die in een geheimzinnige bibliotheek met die naam komt te hangen.

Er is ook nog een andere mogelijkheid. Ik ben nog een keer naar de bibliotheek gegaan en daar vond ik een overzicht van een groot aantal verschillende boeken die gezamenlijk 'Thorleif Dahls cultuurbibliotheek' worden genoemd. Zou 'Bibbi de Boks magische bibliotheek' misschien net zoiets kunnen zijn, dat wil zeggen de naam van een hele serie verschillende boeken? Misschien leeft Bibbi de Bok van het uitgeven van boeken? Misschien heeft ze haar eigen uitgeverij, die kennelijk 'Bibbi de Boks magische bibliotheek' heet.

Dat 'Bibbi de Boks magische bibliotheek' de naam van een smokkelbende is, geloof ik eigenlijk niet. Hoewel je niets uit kunt sluiten, Mr. Torgersen. We moeten alleen geen te snelle conclusies trekken.

Dus was het misschien toch Mr. Smiley. (Dat gedoe met die videocamera was echt eng!) Ik hoop dat je hem niet weer tegenkomt, maar ik betwijfel of je dat heerschap zo gemakkelijk kwijtraakt. Hij is duidelijk op jacht naar iets en ik heb twee suggesties: ofwel is hij op jacht naar dat geheimzinnige boek over de magische bibliotheek. Ofwel is hij op jacht naar de bibliotheek zelf. DAN IS HIJ MET ANDERE WOORDEN OP JACHT NAAR PRECIES HETZELFDE ALS WIJ. Dan moeten we maar zien wie er het eerst op de Zuidpool aankomt!

Meer kan ik vandaag niet verzinnen. Maar ik heb ook groot nieuws voor je. IK HAD DIT WEEKEND EEN HEEL INTERESSANT GESPREK MET GUNNAR STAALESEN! Ik belde aan en zei dat ik een fan van zijn boeken was. Dat was een prima toegangskaartje. (Volgens mij zijn de meeste schrijvers vreselijk met zichzelf ingenomen. Ze zijn in elk geval gemakkelijk te vleien...)

Waarover we gepraat hebben? Nou, over van alles en nog wat. Over koetjes en kalfjes, zo heet dat toch?

Het koetje ging over het feit dat hij er geen idee van had of er een schrijver was die met een boek over een magische bibliotheek bezig was. Hij kende Bibbi de Bok ook niet. Het kalfje was dat hij vertelde dat er in 1993 een groot jubileum zal zijn. Wat voor jubileum? Drie keer raden! Het wordt het JAAR VAN HET BOEK 1993 genoemd, met Hare Zeer Koninklijke Hoogheid Koningin Sonja als beschermvrouwe. (Dus nu is ook het koninklijk huis erbij betrokken.) Driehonderdvijftig jaar geleden werd namelijk het allereerste boek in Noorwegen gedrukt. Dan hebben we het dus haast over een incunabel. Toeval, Nils? Het zou vreemd zijn als Bibbi de Bok hier niet ook een vinger in de pap heeft wat dit 'Jaar van het Boek' betreft...

Verder vertelde die meesmuilende misdaadschrijver iets over het boek waar hij mee bezig was. Dat komt namelijk ook in 1993 uit. Ik krijg zo langzamerhand een aardig overzicht over de boeken die volgend jaar gaan uitkomen. Staalesens boek gaat over een detective met de naam Varg Veum. Eigenlijk woont hij in Bergen, maar ter gelegenheid van het Jaar van het

Boek 1993 is hij naar Oslo gereisd waar hij in politieke schandalen en zo rondsnuffelt. Hij zei dat de werktitel van het boek *Begraven honden bijten niet* is.

We moeten dus gaan bekijken waar ónze hond begraven ligt. En of hij bijt. *You see?* (Hebben we het niet al eerder over begraven honden gehad?)

Ik had nog veel meer kunnen schrijven, want ik heb hier met een aantal mensen gepraat. Maar er gebeurt nu zoveel tegelijk dat ik het brievenboek volgens mij beter snel naar je kan terugsturen. En klein detail noem ik nu wel meteen: er komen nog steeds pakketten voor postbus 85. Maar ze stuurt haast nooit zelf pakketten. (Billie Holiday heeft dit op het postkantoor nagevraagd.) Volgens mij leeft ze dus niet van het doorverkopen van boeken. Misschien is ze een boekensmokkelaar van groot kaliber. Maar de boeken blijven hier in Fjærland. Hier houden tenminste hun sporen op...

So long, Mr. Brievensmokkelaar!

Groeten van Berit Bø (heb ik je bang gemaakt?) Yum

PS. Afgelopen weekend met papa was ontzettend leuk. Ik mis hem echt. Ik vind het maar stom dat ze plotseling hebben ontdekt dat ze niet meer van elkaar houden. Ik hou immers van hen allebei!

PS. PS. Weet je héél zeker dat je er geen idee van hebt hoe B.B. wist dat je naar Rome zou gaan?

PS. PS. PS. Ik begin het akelige gevoel te krijgen dat we ergens voor worden gebruikt. Toen ik je laatste brief las, voelde ik me net de cursor in een computerspelletje.

Heb je het sprookje gelezen van de veer die in vijf kippen veranderde? Het is geschreven door de Deense schrijver H.C. (Hans Christian) Andersen. Het gaat over een kip die een veertje uit zichzelf trekt en kakelt: 'Weg ermee. Hoe meer ik eruit trek, hoe mooier ik word.'

Een andere kip die het ziet, fluistert tegen de buurkip dat de eerste kip haar veren uittrekt om indruk op de haan te maken. Een uil die dat hoort, vliegt naar een andere uil en vertelt het verder, dan gaat het verhaal verder naar een paar duiven, en naar de haan, maar dan is het verhaal al helemaal uit de hand gelopen, en de haan kraait over drie kippen die alle veren hebben uitgetrokken en dood zijn gevroren vanwege een ongelukkige liefde voor een haan. Dan gaat het verhaal verder tot het terugkomt bij de kip die de veer uit zichzelf had getrokken en dan gaat het als volgt.

Er waren eens vijf kippen, die zich allemaal van hun veren hadden ontdaan om te laten zien wie het magerst was geworden uit liefdesverdriet om de haan. Daarna pikten ze elkaar tot bloedens toe en vielen dood neer, tot schaamte en schande van de familie en tot groot verlies van de eigenaar.

Dan windt de eerste kip zich zo op dat ze het hele verhaal ter afschrikking en waarschuwing in de krant laat drukken. En als het in de krant staat, denkt natuurlijk iedereen dat het wel waar moet zijn. Want de krant liegt toch nooit?

Het is een mooi sprookje en het lijkt op het verhaal waarvan wij deel uitmaken, alleen is het hier OMGEKEERD.

Het begon er toch mee dat jij een veertje vond? De brief van Siri. Wij dachten dat de hele zaak om één kip draaide, Bibbi de Bok. In werkelijkheid zijn het er minstens vijf, twee kippen en drie hanen om precies te zijn. Dat zijn Bibbi de Bok, M. Bresani, de Grijns, Aslaug en Reinert Bruun.

En ze hebben het op ons gemunt, Berit!

Ja, dat heb je goed gelezen. Aslaug en Reinert Bruun proberen ook macht over ons te krijgen. Wat er vanmiddag gebeurde, overtuigt me er helemaal van dat het ellendige gevoel van jou klopt: wij zijn cursors die heen en weer worden verplaatst in een spel waarover we zelf geen controle hebben.

Ik ben net weer terug van Aslaug en Reinert Bruun die me op visite hadden gevraagd.

Je zult begrijpen dat ik nogal zenuwachtig was, want ik dacht dat ik iets verkeerds had gedaan. Bruun gedraagt zich namelijk nogal vreemd sinds ik uit Rome terug ben. Het lijkt wel alsof hij een bijzondere belangstelling heeft voor waar ik mee bezig ben. Twee keer heeft hij me op het schoolplein aangesproken. De ene keer vroeg hij of ik het leuk zou vinden om de klas over Rome te vertellen. Ik antwoordde dat ik niets had gezien omdat ik de hele tijd met hoofdpijn op de hotelkamer had gelegen. Toen keek hij me aan alsof hij me niet geloofde, alsof hij iets wist waarvan ik geen idee had dat hij dat wist.

De andere keer vroeg hij of ik misschien een suggestie voor nieuwe opstellen had. Ik was verbaasd en mompelde wat over dat ik momenteel bezig was mijn fantasie in toom te houden. Het leek wel alsof hij spijt had, streek me over mijn bol en zei: 'Niet doen, Nils. Je fantasie is je belangrijkste werktuig!'

Ik begreep er 0,00 millimeter van en toen hij me op visite vroeg, dacht ik dat er wel iets heel ernstigs aan de hand moest zijn, maar ik ging erheen. Ze stonden me allebei op te wachten. We gingen de woonkamer binnen en op tafel lag, drie keer raden: een stapel boeken.

De hele avond zei ik bijna niets, maar meester Bruun en Aslaug waren je reinste spraakwatervallen. (Kunnen watervallen trouwens praten?) Ze vertelden over boeken. Ze hadden het over het verschil tussen thrillers en reisverhalen, over toneelstukken, gedichten en proza (romans, novelles en zo).

Daarna vertelden ze over verschillende manieren van schrijven, dat sommige schrijvers concepten maakten en het hele verhaal klip en klaar voor ogen hadden voordat ze met schrijven begonnen, terwijl anderen misschien alleen maar een zin, een begin of een eind in het hoofd hadden. Ze vertelden dat het belangrijk was dat de schrijver de personen die hij beschreef, echt voor ogen had, hoe ze gekleed gingen, welke haarkleur ze hadden en alle mogelijke vreemde details. Ze zeiden dat ik niet moest vergeten dat alle mensen op een verschillende manier praten en dat iedere persoon in een boek zijn eigen speciale manier van uitdrukken heeft. Ze zeiden dat het belangrijk was dat ik nauwkeurig was tijdens het schrijven, en dat ik niet te veel bijvoeglijke naamwoorden moest gebruiken. Ze bedoelden bijvoorbeeld dat wanneer ik schreef dat 'de bloem er echt fantastisch uitzag', dat niets over de bloem zei. Het zou veel beter zijn als ik de bloem zo kon beschrijven dat de lezer zelf kon zien wat er zo fantastisch aan was...

Zo gingen ze door tot ik vijf broodjes had gegeten, twee flesjes limonade had gedronken en vijf keer 'Ja', vijftien keer 'O!' en zeven keer 'Precies' had gezegd.

Het gekste was wel dat ze begonnen te praten over 'schrijvers', maar dat ze steeds meer over mij gingen praten, alsof ik de schrijver was.

Toen ze klaar waren, knipoogde Aslaug tegen me en zei: 'Zo Nils, en heb je er iets van begrepen?'

'Ja, tuurlijk,' mompelde ik en bedacht dat ik in elk geval had begrepen dat ze beiden knettergek waren.

Reinert keek op zijn horloge en opeens leek het alsof ze mij met grote haast weg wilden hebben. Hij liep met me mee de hal in en duwde me bijna de deur uit.

Op dat moment vond ik het alleen maar vreemd, maar toen ik buiten stond, gebeurde er iets wat me net zo in de war bracht en bang maakte als een vlieg in een spinnenweb.

Ik begon net de straat uit te lopen toen er voor het huis van Bruun een taxi stopte. De man die uitstapte, zag mij niet, want hij liep recht op de deur af en belde aan. Maar ik zag hem! Hou je nu vast, Berit.

HET WAS DE GRIJNS!

De Grijns *himself* was op weg naar mijn meester. Ik begrijp niet veel, maar wat ik wel begrijp is dat wij slachtoffers zijn van een onverklaarbare samenzwering, waarvan Bibbi de Bok een soort angstaanjagend centrum vormt.

Je hebt gelijk dat we cursors zijn en hoewel mijn benen behoorlijk trillen, vind ik dat we nu moeten beslissen wat we gaan doen.

We kunnen nu met het brievenboek stoppen en alles vergeten. Of we kunnen het spel overnemen en de anderen tot cursors maken.

Ik stel het laatste voor. We hebben A gezegd. Nu moeten we het hele alfabet zeggen.

Ik stel voor dat jij naar het uitgangspunt terugkeert: de gletsjerhut waar we Bibbi de Bok voor het eerst hebben ontmoet. Lees het gastenboek door. Zoek naar de namen Bruun en Bresani. Misschien vind je een geheime code of een mededeling die de mist doet optrekken, want ik dool in elk geval in de mist rond. Op dit moment heb ik geen theorieën, maar ik voel dat ik woedend word en ik wil iets met die woede doen!

Nils

PS. Van dat gedoe met die begraven honden van Gunnar Staalesen snapte ik geen hol. Wat heeft dat met Bibbi de Bok te maken? Bedoel je dat hier iets begraven ligt? Wat dan? De boeken van Bibbi de Bok misschien? Maar waarom zou ze in vredesnaam grote stapels waardevolle boeken kopen om ze te begraven? Hou je me voor de gek?

Beste schrijver,

Maak je er niet zo druk om, maar ik moet toegeven dat ik niet begrijp waarom je opeens thuis bij bakker Bruun wordt uitgenodigd om een hele schrijverscursus te volgen! Ik bedoel... na zó'n opstel!

Verder ben ik het met je eens dat we er niet meer van beschuldigd kunnen worden dat we een veer in vijf kippen veranderen. In dit kippenhok zitten hanen en hennen en het hok strekt zich duidelijk helemaal tot aan Rome uit. Het duurt niet lang meer of we hebben genoeg materiaal over hen om met het hele verhaal naar de krant te gaan, net als in het sprookje. (En dat is andere koek!) We moeten nog wel even wachten, want het verhaal wordt steeds idioter.

Het brievenboek arriveerde gistermiddag, en dat komt mooi uit want vandaag is het zaterdag en heeeerlijk herfstweer. Ik heb dus gedaan wat je zei. Volgens jou zijn er misschien belangrijke sporen in de gletsjerhut te vinden, en hier zit ik nu. Ik pakte snel mijn rugzak in en ging op pad. Mama heeft me naar Øygarden gereden.

Het was een hele klauterpartij, Nils, maar je krijgt waar voor je geld als je bij de gletsjerbedding aankomt en bovendien dat magnifieke uitzicht over de Fjærlandsfjord krijgt. Dan ben ik er trots op dat ik in Fjærland woon en van die eigenwijze gedachten heb dat er op de hele aardbol geen mooiere plek bestaat.

Nu zit ik hier dus moederziel alleen in de gletsjerhut en voel aan mijn benen dat ik van 10 naar 1000 meter boven de zeespiegel ben geklommen. Ik heb een hele tijd in het gastenboek zitten bladeren. Luister maar.

Woensdag 12 juli waren wij hier en Bibbi de Bok heeft, zo lijkt het wel, haar slijmerige naam vlak tegen onze handtekeningen aangedrukt. Maar: ONS GEDICHT IS VERDWENEN, NILS! Iemand heeft juist die pagina uit het gastenboek gescheurd.

Waarom? Was het niet mooi genoeg? Of bestaan er echt mensen die zich bedreigd voelen door de fantasie van kinderen?

Ik was zo kwaad dat ik het gedicht hardop voor mezelf heb opgezegd. Ik ken het namelijk vanbuiten, en niemand zal het uit mijn geheugen weten te wissen:

We zitten samen aan het strand
met een coca cola in de hand.
Nils en Berit heten wij
en we hebben nog lekker vrij.
Het is hier heerlijk, we doen wat we willen,
als we aan school denken, gaan we gillen.

Verder is Bibbi de Bok hier een paar dagen later nog een keer geweest, en hou je nu vast: op zaterdag 15 juli zie ik haar naam naast een andere handtekening staan. Er staat 'Mario Bresani'!

Het heeft me heel wat calorieën gekost om de voornaam van die dove boekenmeneer te vinden, dus dan moet je maar accepteren dat de familie Bruun door afwezigheid schittert. Ze hebben nooit een spoor in het gastenboek van de gletsjerhut achtergelaten, in elk geval niet in deze editie (vanaf 26 mei 1991).

Dan die kale idioot die overal opduikt waar jij ook bent. (Zullen we zeggen dat hij jou schaduwt?) Weliswaar is er iemand die een zonnetje met een grote glimlach heeft getekend (3 augustus), maar ik betwijfel of het door de Grijns is gedaan! (Wat denk jij?)

Dat was alles, Nils. Als je had verwacht dat ik hierboven een grote opslagplaats voor boeken zou vinden, moet ik je teleurstellen. Het is natuurlijk best mogelijk dat er in Fjærland een verborgen bibliotheek bestaat, maar dan niet in de gletsjerhut. Ik heb stenen opgetild en de bergwanden gecontroleerd. (Je verlangt toch niet van me dat ik in alle gletsjerspleten kijk?)

Nu iets anders. Alweer denk ik dat je een blinde kip bent geweest die een lekkere graankorrel heeft weten te vinden: in je PS schrijf je: 'Bedoel je dat hier iets begraven ligt? Wat dan? De boeken van Bibbi de Bok misschien?'

JA! Het is in elk geval een mogelijkheid, aangezien er in haar huis geen boek te bekennen valt. Volgens mij stopt Bibbi de Bok alle boeken ergens in Fjærland onder de grond. Ik denk dat ze bezig is een onderaardse bibliotheek op te zetten. EN IK DENK DAT HET EEN MAGISCHE BIBLIOTHEEK IS.

Die bibliotheek moeten we vinden! En we moeten hem vinden voordat de Grijns dat doet. *You see?* Maar ik denk dat het beter is dat we samenwerken met mollen in plaats van met bergbeklimmers en gletsjerlopers.

Ik schrijf meer als ik weer thuis ben...

Wacht even! Ik heb net de samenvatting van Deweys hoofdtabel bekeken. Hij eindigt dus met het cijfer 990 en 'De geschiedenis van de buitenaardse wereld'. Het cijfer 1000 staat er niet, maar ik heb een theorie: die hoofdgroep wordt misschien 'De geschiedenis van de ónderaardse wereld' genoemd! Om niet te zeggen 'Geschiedenis van onderaardse bibliotheken'.

NU ZIE IK NOG IETS: de allereerste hoofdgroep van Dewey heet '010 Bibliografie'. En Bibbi de Bok is een rasechte bibliograaf! (Bron: Siri. Citaat: 'Noorwegen heeft maar één echte bibliograaf en dat ben jij.') De gletsjerhut ligt precies 1000 meter boven de zeespiegel, en dáár hebben we meerdere sporen gevonden. Aan de andere kant ligt het huis van Bibbi de Bok precies 10 meter boven de zeespiegel. Van 10 tot 1000, net als in Deweys systeem! Zou dit iets betekenen? Ik weet het niet, ik weet het niet!

Lobby van Hotel Mundal
Ik tril helemaal. Ik ben er namelijk zojuist achtergekomen dat

ik juffrouw de Bok vele jaren geleden een keer heb ontmoet. Ik was toen ongeveer acht jaar. (Bron: Billie Holiday.) In mijn volgende brief zal ik er meer over schrijven, want zo meteen wordt de bus gelicht en ik moet nog minstens twee PS'en schrijven.

De jouwe tot de dood, Berit

PS. Ik begin een hekel aan de afbeelding voor op het brievenboek te krijgen. Het is toch een foto van de Sognefjord? Toen ik terugkeerde uit de gletsjerhut, dacht ik opeens aan iets wat Siri in die geheimzinnige Rome-brief schreef: 'Op het omslag stond een afbeelding van een paar hoge bergen'. Dat stond er toch!?!

Misschien had je beter de foto met de zonsondergang en het rode hartje kunnen kiezen. (Maar dan zou Bibbi de Bok het schrift misschien niet hebben gesponsord?)

PS. PS. Misschien zijn Bibbi de Bok, Bresani, de Grijns en de familie Bruun lid van een religieuze sekte die op de een of andere manier probeert de wereldmacht te grijpen. Misschien proberen ze alle kinderen van de wereld in hun macht te krijgen. Ik heb van zulke gekke sekten gehoord die proberen kinderen en jongeren te indoctrineren. (Indoctrineren – kijk in het woordenboek!)

PS. PS. PS. Je schrijft: 'We hebben A gezegd. Nu moeten we het hele alfabet zeggen.' Maar ik vind het nu zo eng worden dat ik begin te twijfelen. Ik stuur je hierbij een gedichtje van Jan Erik Vold.

heb je A gezegd
heb je A gezegd

Begrijp je wat ik bedoel? Als je A hebt gezegd, ja, dan heb je A gezégd en dan moet je daarvan ook de gevolgen accepteren. Maar dat betekent niet dat je dan ook beslist B moet zeggen.

Groeten, B

Beste Berit!

Volgens mij ben je echt iets op het spoor! Een religieuze sekte! Alsof ik het zelf bedacht heb. Als het niet nog iets ergers is.
Heb je *De heksen* van Roald Dahl gelezen? Niet doen. Dat boek zal je de stuipen op het lijf jagen.
Het gaat over een grote groep vrouwen die doen alsof ze stapelgek zijn op kinderen, maar dat is gelogen. Het zijn namelijk heksen en ze haten kinderen! Ze willen alle kinderen over de hele wereld uitroeien door ze in muizen te veranderen.

Stel dat al deze lui in werkelijkheid heksen zijn die ons niet in muizen willen veranderen, maar ons onze gedachten willen afpakken en die door hun eigen gedachten willen vervangen! Stel dat Bibbi de Bok een magische bibliotheek onder het ijs aan het opbouwen is! Een bibliotheek gevuld met onze gedachten! Dat verklaart waarom hij magisch is. Want ik raak er steeds meer van overtuigd dat dit magie is!

Waarom denk je dat meneer Bruun en zijn vrouw mij op visite vroegen? Om vriendelijk te zijn? Ha ha! O nee zeg, om mijn gedachten te kunnen beheersen! Daarom vertelden ze natuurlijk over de werkwijze van schrijvers. Maar ze vertelden niet de waarheid. Ik heb namelijk heel veel gelezen en weet dat alle schrijvers op verschillende manieren schrijven. Er bestaan echt boeken waarin bekende schrijvers schrijven dat 'een bloem er echt fantastisch uitziet'. Voor manieren van schrijven bestaan namelijk geen regels en er bestaan ook geen regels voor hoe mensen denken. Bibbi de Bok probeert echter zulke regels op te stellen zodat we allemaal één pot nat worden en ze precies weten hoe we in elkaar steken.

Onze oude gedachten stoppen ze in een magische bibliotheek onder het ijs van de Jostedalsgletsjer! Dat is de waarheid, Berit, en die moeten we goed voor ogen houden, anders worden we robots of levende lijken!

Ja, dit waren maar een paar simpele theorieën die ik de afgelopen dagen door mijn hoofd heb laten gaan. Je brief bracht me op het spoor, en ook mijn conclusie dat meneer Bruun gedachten kan lezen.

Dat ontdekte ik gisteren toen ik tussen de middag mijn brood wilde eten. Meneer Bruun had dienst als oppasser. Ik had mijn rugzak meegenomen omdat we het volgende uur gym zouden hebben. Het brievenboek had ik ook bij me. Ik durf het geen seconde ergens te laten liggen. Toen ik mijn hand in de rugzak stak om mijn brood te pakken, voelde ik even of het brievenboek er nog was. Dat was zo en ik haalde opgelucht adem. Net op dat moment kwam meneer Bruun naar me toe. Hij glimlachte (tegenwoordig lijkt iedereen naar me te lachen) en zei: 'Zo, Nils. Wat voor geheimen zitten er in jouw rugzak verborgen?'

Ik schoot honderdveertien meter de lucht in en zei dat mijn enige geheim was dat ik niet wist wat mijn moeder op mijn brood had gedaan.

'Zo zo,' zei meneer Bruun. 'Weet je zeker dat dat alles is?'

Ik opende mijn broodtrommel met trillende vingers. Ik begreep dat hij mijn gedachten had gelezen als een open boek, ik zou bijna zeggen als een brievenboek.

'Nee,' mompelde ik, 'dat is niet alles. Het is geitenkaas.'

Toen trok ik een grimas en nam een hap brood. In mijn mond ontstond een enorme deegklont. Het lukte me niet om het door te slikken en ik stond daar als een koe te herkauwen.

'Dat is een grappige formulering, mijn jongen,' zei meneer.

'Die moet je erin houden. Die groeien niet aan de boom.'

Toen liep hij door. Ik spuugde het brood uit en voelde of het brievenboek nog in de rugzak zat. Dat was zo.

Nu zit ik hier te proberen mijn gedachten vast te houden. Dat is niet eenvoudig, vooral niet als iemand voortdurend probeert ze te stelen.

Misschien zijn deze theorieën niet meer dan fantasieën in mijn hoofd, maar dan kan ik alleen maar zeggen dat ik blij ben dat ik nog een paar fantasieën overheb.

Ga door met je onderzoek, Berit. Jij bent van ons tweeën degene die momenteel het helderst kan nadenken. Ik ben slechts een verwarde

Nils

PS. Over de tekening van de glimlach in het gastenboek heb ik trouwens ook een theorie. Ik geloof misschien namelijk dat het geheime teken van de heksen een glimlach is.

Zie je hoe onzeker ik ben? Ik geloof het of ik geloof het niet. Er is vast niemand die 'misschien namelijk gelooft'. Alleen iemand die bezig is zijn gedachten te verliezen!

HELP!

Beste Nils,

Rustig aan, kameraad! Je kunt namelijk niet zomaar het laatste boek dat je gelezen hebt pakken en dan geloven dat het er in werkelijkheid ook zo aan toe gaat. Want literatuur is literatuur. En heksen groeien niet aan de boom. Je moet wel voorzichtig zijn. Vanaf nu moet je voorzichtig zijn met het brievenboek en niet door de stad banjeren en het voor de neus van Jan en allemaal heen en weer zwaaien. Want we worden geschaduwd, beste neef. Volgens mij is het moeilijker om uit te maken of ook onze gedachten worden gelezen...

Ik heb een paar moeilijke punten voor je waarvoor ik in de vorige brief geen tijd had. Ik heb Bibbi de Bok namelijk al eerder ontmoet, ja, heel lang geleden. Ik was nog maar een jaar of zeven. Dat kan misschien een belangrijk spoor zijn. Ik heb het gehoord van de vrouw die samen met Billie Holiday het hotel runt. Ze heet Marit Orheim Mauritzen.

Hier volgt een stukje geschiedenis, dus doe je veiligheidsgordel om.

Het geschiedde in die dagen dat er een bevel uitging van de vroegere vice-president Walter Mondale over de opening van de grote Fjærlandtunnel. Die opening vond plaats op 31 mei 1986, toen Ludvig Eikaas het regionale hoofd van de kunstwereld en de verantwoordelijke persoon voor een groot deel van de festiviteiten was. Om wat de profeten hadden verkondigd in vervulling te doen gaan, had hij een groot portret van een madonna voor de toegang tot de tunnel geschilderd. Dat was de zogenaamde Tunnel-godin.

Ook Berit Bøyum reisde toen vanuit de stad Bergen in de provincie Hordaland naar Fjærland omdat ze afkomstig was uit het huis en geslacht Bøyum om zich in te laten schrijven in het gastenboek van Hotel Mundal samen met haar vader en moeder die destijds nog verloofd (!) waren. Er was geen plaats voor hen in de herberg, maar ze mochten in een kamertje op de oude boerderij van oma wonen...

Kun je het nog volgen, Nils? Het hele dorp stond op zijn kop. Het krioelde van de Fjærlanders, overal waren politie-agenten en journalisten. Het was dan ook de vroegere vice-president van de Verenigde Staten van Amerika die de opening zou verrichten. MAAR IK WAS DAAR OOK. Ik herinner me er niet veel van, maar nu zit ik in de receptie van het hotel samen met de Manager Mrs. Marit Orheim Mauritzen. We hebben in het gastenboek bij de openingsdag gekeken en daar heb ik mijn kinderlijke handtekening naast alle (andere) beroemdheden ontdekt. Ik heb er jarenlang over opgeschept dat ik Walter Mondale heb ontmoet. (Zijn grootouders kwamen uit Mundal, wist je dat? Vandaar de naam...) MAAR IK WIST NIET DAT BIBBI DE BOK OOK BIJ DE FESTIVITEITEN AANWEZIG WAS GEWEEST!

Het is echt waar. De volgende keer dat je hier komt, kun je het zelf zien. Ze heeft haar stomme naam op dezelfde bladzij-de gezet als ik. Marit kan zich haar nog goed herinneren. Nie-mand had haar ooit eerder gezien, maar ze deed alsof ze jour-nalist was. EN ZE KENDE WALTER MONDALE VAN VROEGER. Ze bevond zich voortdurend in zijn buurt om hem geheimen in het oor te fluisteren...

Ik heb het over Fjærland, Nils. Nu die plaats een zekere betekenis gaat krijgen, stuur ik je hierbij wat extra informatie. Als je in de encyclopedie kijkt, vind je het volgende.

De Fjærlandsfjord, een ca. 25 km lange uitloper van de Sognefjord. Vanaf Balestrand baant de F. zich noordwaarts een weg door mach-tige bergen vol gletsjers naar de Jostedalsgletsjer. Onder aan de fjord, op de noordwestoever, liggen de bijkerk van Fjærland en het toeris-tenhotel Mundal. Vanaf hier lopen wegen naar de Bøyagletsjer en de Suphellegletsjer, twee uitlopers van de Jostedalsgletsjer. Over de naam Fjærland is geen duidelijke verklaring beschikbaar.

Dit was vóór Mr. Mondale & co – en dus voordat wij op de wereldkaart verschenen. Het was voordat we überhaupt op de kaart terechtkwamen, want het was immers voordat we een wegverbinding naar de buitenwereld kregen. Nogmaals krijg je een stukje (gortdroog) zakelijk proza te verstouwen. Het komt uit een brochure die door de Noorse Dienst voor het Wegverkeer is samengesteld.

Nadat Fjærland jarenlang strijd had geleverd om een weg te krijgen, gaf het parlement in 1975 groen licht om het dorp een wegverbinding met de rijksweg te geven. In een rapport over de 'Weg naar Fjærland' werden drie alternatieven onder de loep genomen: de Vetlefjord, Skei en Sogndal. De Rijksdienst voor het Wegverkeer wilde het liefst een weg naar Sogndal aanleggen, maar het parlement stemde daartegen en besloot in 1976 dat Fjærland een wegverbinding met Skei zou krijgen.

De aanlegwerkzaamheden begonnen in 1977 en de weg met de Fjærlandtunnel werd op 31 mei 1986 officieel voor het verkeer opengesteld.

De weg Fjærland-Skei strekt zich uit van de veerbootkade van Fjærland tot de kruising met rijksweg 14 in Skei in Jølster. De totale lengte van de weg is 30.600 meter.

Er zijn drie tunnels in de weg met een totale lengte van 7355 meter. De langste is de Fjærlandtunnel van 6381 meter.

De werkzaamheden aan de weg begonnen in september 1977 met de renovatie en beveiliging tegen lawines van de oude weg langs de Kjøsnesfjord. De bouw van de Fjærlandtunnel begon in april 1981, en de aanleg van de tunnel is aan één stuk doorgegaan. Er werd gewerkt met twee of drie ploegen per dag.

Op 8 mei 1985 was de opening voor de tunnel compleet. Van de kant van Fjærland was er toen 4463 meter opgeblazen en 1977 meter vanaf de kant van Skei.

Personeel van de Dienst van het Wegverkeer heeft ervoor gezorgd dat de tunnel er kwam en met het werk een aanvang gemaakt.

De steenmassa's uit de tunnel werden vervoerd met de hulp van aannemers. Hetzelfde geldt voor het laden vanaf de Fjærlandkant, het aanleggen van de elektrische installaties en het asfalteren. Tijdens alle werkzaamheden waren er soms wel 30 mensen tegelijk aan het werk.

Voor de Fjærlandtunnel is ca. 336.000 m³ vaste rots opgeblazen. Hiervoor was ongeveer 638 ton springstof nodig, en er is een gat van ongeveer 609 km geboord. De steenmassa's uit de tunnel zijn gebruikt om een weg van 8,4 km aan te leggen aan de Fjærlandkant en een van 3,3 km aan de Lundekant. De rest van de steenmassa is opgeslagen bij de ingang van het Bøyadal. Deze massa's zijn in overleg met een landschapsarchitect gedeponeerd…

Kun je het nog volgen, Nils? Of ben je de draad kwijt? Voor eigen rekening voeg ik hieraan toe dat de Fjærlandtunnel onder de Jostedalsgletsjer doorloopt! MISSCHIEN HEBBEN WE HET OVER DE IDEALE GELEGENHEID OM EEN GEHEIME BIBLIOTHEEK TE BOUWEN. Ónder de Jostedalsgletsjer, Nils, de grootste gletsjer van Europa. We hebben het dan over een gebied van ruim 1000 vierkante kilometer. Dan moet er opeens een meer dan 6 kilometer lange tunnel onder de gletsjer worden aangelegd. Met andere woorden, een gigantisch bouwproject waarbij 'met de hulp van aannemers steenmassa's uit de tunnel werden vervoerd' en de 'massa's in overleg met een landschapsarchitect zijn gedeponeerd'. In een gebied waar bijna geen menselijk verkeer is!

ZO'N BIBLIOTHEEK KAN WEL TOT DE DAG DES OORDEELS BLIJVEN STAAN.

Ik twijfel bijna niet. Er moet in elk geval een verband bestaan tussen die enorme werkzaamheden aan de tunnel en de geheime bibliotheek van Bibbi de Bok.

Zelf schreef je het volgende in je laatste brief, en zoals

gewoonlijk is het ongeveer net als de koe (Bibbi de Bok) bij de horens vatten met een blinddoek voor: 'Stel dat Bibbi de Bok een magische bibliotheek onder het ijs aan het opbouwen is!' Dat zijn jouw woorden. Voor deze ene keer doe ik alsof ze van mij zijn.

WANT ER IS MEER!

Precies op de dag dat het vijf jaar geleden was dat de Fjærlandtunnel geopend werd, werd ook nog iets anders in Fjærland geopend. Dat was op 31-05-1991. Toen werd Het Noorse Gletsjermuseum geopend, en de opening werd verricht door koningin Sonja. Inderdaad, door koningin Sonja. Heb je wel eens van haar gehoord? Zij is ook De Hoge Beschermvrouwe van het JAAR VAN HET BOEK 1993! Ook bij die gelegenheid was Bibbi de Bok aanwezig. Dat was de tweede keer dat ze in Fjærland was. (Geloof me maar niet, Nils. Dat hoeft niet. Je kunt net zo goed meteen naar Hotel Mundal bellen om alles bevestigd te krijgen.) Een paar maanden later kocht juffrouw De Bok het gele huis in Opper Mundal...

You see? Het maakt trouwens verder niet uit, want ik zeg niets meer.

Tot nu toe zijn de volgende instanties erbij betrokken:
- een wereldberoemde bibliograaf (Bibbi de Bok)
- een voormalige vice-president van de V.S. (Mondale)
- het koninklijk huis (koningin Sonja)
- het parlement (parlementslid Mauritzen)
- een Italiaanse boekenmysticus (Mario Bresani)
- een kale kerel die overal opduikt (de Grijns)
- de Rijksdienst voor het Wegverkeer (onder het Ministerie van Verkeer)
- het gezelligste hotel van de wereld (geopend in 1891, precies honderd jaar voor het Noorse Gletsjermuseum)
- de Fjærlandtunnel (geopend op 31-05-1986)

- het Noorse Gletsjermuseum in Fjærland (geopend op 31-05-1991, precies vijf jaar na de Fjærlandtunnel)
- de Jostedalsgletsjer (duizenden jaren geleden ontstaan)

Groeten (*To be or not to be*) van Be Rit Bøyum

PS. Omdat er in deze brief zoveel over gletsjers en zo gesproken wordt, stuur ik je weer een gedicht van Jan Erik Vold. Om het te begrijpen, moet je precies weten hoe het eskimo-logo van een ijsje van het merk Diplom eruitziet. De eskimo steekt zijn ene hand omhoog voor een echte eskimogroet. Drie regels, Nils, maar toch een heel gedicht:

op de bestelauto
een Diplom-ijs-eskimo
ik zwaaide terug

Toen ik dit gedicht voor het eerst las, raakte ik helemaal in de war. Dat duurde maar even, maar gedurende dat korte moment was ik volkomen hoteldebotel. Weet je wat ik deed? Ik begon met mijn ene arm te zwaaien, alsof ik moederziel alleen op het Groenlandse ijs was en opeens net zo'n eenzame Diplom-ijs-eskimo tegenkwam!
    Met deze woorden zwaai ik ook naar jou.
    Zwaai je terug?

PSSSST! Nu gebeurt hier iets... Bibbi de Bok! Ze staat op de trap voor de ingang van het hotel. Ik sluip weg langs de achterkant... maar je hoort weer van mij. PAS GOED OP HET BRIEVENBOEK!

Beste Berit,

Het duizelt me. Is het Witte Huis in Washington hier nu ook al bij betrokken? En koningin Sonja??

Bedankt dat je me weer op de grond hebt gezet, in elk geval met één been. Ik geef toe dat mijn heksentheorie misschien iets te ver gezocht was, maar we doen niets anders dan zoeken.

Hier volgt nog een mysterie! En dat is geen theorie, dat zijn feiten.

Het begon gistermiddag. Ik liep door de hoofdstraat, de Karl Johansgate. Toen ik Tanum Boekhandel passeerde, ontdekte ik… wie denk je? Juist: DE GRIJNS.

Hij stond binnen met een van de verkopers te praten. Ik tuurde door het raam naar binnen terwijl ik deed alsof ik een etalage met de verzamelde werken van Ibsen bestudeerde.

Toen de Grijns naar buiten kwam, draaide ik hem de rug toe zodat hij me niet zou zien en toen hij de Universitetsgata overstak, ben ik hem gevolgd.

Hij liep langs het Nationale Theater, over de Stortinggata en ging een restaurant binnen dat het Theatercafé heet. Ik volgde hem. Toen de portier vroeg of ik een tafeltje besteld had, zei ik dat ik een afspraak had met mijn vader die scheepsreder was. Dat was vast stom, maar ik mocht naar binnen.

De Grijns zat aan een tafeltje bij het raam, en weet je wie naast hem zat? Hou je lippenstift vast, Berit. Bij hem zat Anne-Cath. Vestly, de schrijfster die al die kinderboeken heeft geschreven over Ole Alexander Filibom-bom-bom en het huis in het bos.

Ook al zullen veel mensen zeggen dat dit boeken voor kleine kinderen zijn, ze zijn hartstikke leuk om te lezen, ook als je ouder wordt. Ze laten je namelijk dingen herinneren die je vergeten bent. (Net als dat verhaal met de blauwe bretels in *Winnie de Poeh*.) Daarnaast geven ze je het gevoel van een soort veiligheid in een onrustige wereld. Als er iets is wat ik nu nodig heb, dan is het wel een beetje veiligheid. Anders leg ik het loodje.

Moet je je voorstellen, Berit. De Grijns en Anne-Cath. Vestly! Ik plofte aan een tafeltje vlak bij hen neer, verschool me achter het laatste nummer van *Het Fantoom* en bestelde een cola.

Ik zat zo dichtbij dat ik hen in de nek had kunnen spugen. Ik probeerde te horen wat ze zeiden, maar er was zoveel lawaai dat het volslagen onmogelijk was. In elk geval praatten ze veel, vooral de Grijns. Maar hij lachte niet. Anne-Cath. Vestly wel en ze glimlachte helemaal niet akelig. Ze had zo'n vriendelijke 'oma-glimlach', als je begrijpt wat ik bedoel.

Ten slotte schudde ze haar hoofd en stond op. Ze stond zo dicht bij me dat ik haar had kunnen aanraken. Ik had Anne-Cath. Vestly kunnen aanraken, Berit! Maar dat heb ik niet gedaan. Ik zat helemaal verstijfd, mijn gezicht achter *Het Fantoom* verborgen, maar nu hoorde ik wat ze zei.

'Nee, dat kan ik niet doen. Dit is mijn terrein niet, ben ik niet bang.'

Toen vertrok ze.

De Grijns bleef nog even zitten. Toen stond hij op en rende haar achterna. Hij riep: 'Wacht nou even, Anne-Cath. We kunnen er toch over praten!'

Toen liep hij achter haar aan de deur uit. Ik stond op om hen te volgen en toen zag ik de envelop op het tafeltje liggen waar ze hadden gezeten. Weet je wat daarop stond? Nee, dat weet je natuurlijk nog niet. In de linkerbovenhoek stond een stempel: 'Children's Amusement Consult'. Onder het stempel stond met pen geschreven: 'De magische bibliotheek van Bibbi de Bok.'

Nu weet je het. Het begon me helemaal te duizelen, Berit. Ik had geen idee wat ik moest doen. De deur van de garderobe ging open en ik zag de Grijns mijn richting uit komen.

Ik griste de envelop weg, stopte hem onder mijn trui en wist op de een of andere manier langs de Grijns het restaurant uit te komen. Ik heb me de afgelopen tijd vast tot een waarachtige brievendief ontwikkeld.

Ik stormde naar huis, opende de envelop en vond deze papieren die ik je toestuur. Misschien begrijp jij er meer van dan ik.

VIDEO/FILM

TWEEDE CONCEPT. DRIE VAN VIJF SERIES

1 BUITEN. WEG BIJ DE KERK IN FJÆRLAND. NACHT. HERST.
MUZIEK. DE NOODLOTSSYMFONIE. Berit en Nils lopen langzaam langs de kerk op weg naar het Mundalsdal. De hemel is donker. We horen enorme DONDERSLAGEN. Af en toe verlichten witte bliksemschichten het landschap en scheppen een spookachtige sfeer.

BERIT: Snel, Nils.

NILS: Ik weet niet of ik durf.

BERIT: We moeten wel.

NILS: Ik ben bang, Berit!

BERIT: *(pakt zijn hand)* Ik ook, maar we moeten haar vinden. We moeten de... boekenheks vinden!

Een bliksemschicht flitst langs de hemel. We zien de witte, doodsbange gezichten van Berit en Nils. Dan zien we de weg in de richting van het gele huis vanuit hun gezichtspunt. DE MUZIEK wordt luider.

Overgang naar

2 BINNEN BIJ DE BOEKENHEKS. DEZELFDE TIJD.
We kijken uit op de weg door het raam vanuit HET GEZICHTS-

PUNT VAN DE BOEKENHEKS. Twee kleine, donkere gestaltes zijn op weg naar het huis. De boekenheks LACHT zachtjes en doet het licht in de woonkamer uit. Ze trekt de gordijnen dicht.

Overgang naar

3 BUITEN. VOOR HET HUIS VAN DE BOEKENHEKS. VLAK DAARNA.
De twee tieners sluipen langs de muur van het huis. De wind HUILT door de bomen. Het regent nu verschrikkelijk. Ze zijn kletsnat. Boven hen zien we een raam met gordijnen ervoor. Binnen is het donker. Het gesprek tussen de twee vindt plaats op fluisterende toon.

NILS: Weet je zeker dat ze slaapt?

BERIT: Het is toch halftwee.

NILS: Kunnen we niet naar huis gaan en morgen terugkomen?

BERIT: Waarom?

NILS: Het is zulk slecht weer!

BERIT: Maak je een grapje?

NILS: Nee.

BERIT: Kom!

Ze zijn bij de deur aangekomen. Berit grijpt de klink. Er is een roestig, klagend geluid te horen als de oude deur opengaat.

Overgang naar

4 BINNEN. IN HET HUIS VAN DE BOEKENHEKS.

Berit en Nils banen zich een weg door een donkere hal. Ze komen bij een andere deur en openen hem. We volgen hen de woonkamer binnen. Het is stikdonker. Ze lopen op de tast verder. Opeens gaat het licht aan. We zien hun doodsbange gezichten en ogen die nog niet aan het licht gewend zijn. Vanuit hun gezichtspunt kijken we de woonkamer in, in de richting van DE BOEKENHEKS, die midden in de kamer staat.

DE BOEKENHEKS: *(poeslief)* Waar zijn jullie van plan om heen te gaan?

BERIT: Wij, wij...

Midden in de zin stopt ze. Ze staan stokstijf van angst terwijl de boekenheks met langzame, zware passen op hen af komt.

Dat is alles, Berit. Dit is duidelijk slechts het begin van iets wat een video over jou en mij moet worden.

Maar waarom wil de Grijns een video over ons maken, en wat heeft Anne-Cath. Vestly met dit alles te maken?

Zou de ober gezien hebben dat ik de envelop pakte? Als de Grijns hem ernaar vraagt, kan hij vast een goede beschrijving geven van de magere dief met het piekhaar en de blauwe ogen. En dan... Nee, daar durf ik zelfs niet aan te denken. Help! SOS! Gevaar! Wat moet ik nu doen?

Groeten,
Nils de dief

Beste Nils,

Je moet zo snel mogelijk naar Fjærland komen. Ik sméék je, Nils! Zelf verkeer je nu in levensgevaar, maar ook ik heb je hier nodig. Ik steek meteen van wal... Ik was naar het Bøyadal gefietst, want ik had het vreemde gevoel gekregen dat ik de Fjærlandtunnel nader moest onderzoeken. De heenweg was niet zo lang, ook niet zo steil. Ik was vol goede moed, wierp een blik op de Bøyagletsjer, liet mijn fiets bij de ingang van de tunnel achter en stond een tijdje de duisternis in te kijken.

Opeens leek het alsof ik daarbinnen iets hoorde. 'Beeriit...' klonk het.

Ik begon te lopen. Dat deed ik omdat ik vond dat ik dat moest. Ik wist dat het levensgevaarlijk was, maar ik liep het bord waarop stond dat de tunnel voor fietsers en wandelaars verboden was, voorbij en ging naar binnen.

Een paar keer suisde me een auto voorbij, maar ik drukte me dicht tegen de bergwand aan en volgens mij heeft geen van de chauffeurs mij gezien. Ik had mijn zwarte regenjas aan.

Nogmaals was het alsof iemand iets zei. 'Beeriit...' In de tunnel was alles zo hol en onwerkelijk.

Ik voelde dat ik geen keus had. Het was alsof ik zelf geen beslissing nam. De lucht in de tunnel was muf en koud, maar het was alsof de rest van mijn leven afhing van de vraag of ik verder die donkere tunnel in durfde te gaan.

Na een hele poos kreeg ik rechts een dikke branddeur in de gaten. Er zat een ijzeren slot op als deurklink, en natuurlijk zat het op slot. Shit, dacht ik.

Ik had een zaklantaarn bij me en nu waren er geen auto's in de tunnel, dus deed ik de lantaarn aan. Ik ontdekte een soort codeslot, een ronde schijf met cijfers als in de gewelven onder een bank en zo.

Nu gebeurde er iets onverklaarbaars. Opeens leek het alsof

ik de code kende: in ieder geval zonder erbij na te denken draaide ik het slot op de cijfers 5-8-5-5-8-5, en toen ging de deur meteen open nadat ik het dikke slot openklapte. Nu hoorde ik voor het laatst die stem die mij riep: 'Beeriit…' Nu kwam die holle stem vanbinnen.

Ik ging door de branddeur naar binnen. Hij sloeg achter me dicht. Het was er pikkedonker. Ik deed de zaklantaarn aan en zag dat ik in een nauwe gang stond. Ik wierp de lichtkegel voor me uit en begon te lopen. Even later stond ik weer voor een deur. Die was van hout, maar ook op slot.

Zat ik opgesloten in een berg onder de Jostedalsgletsjer, dacht ik. Kon ik niet meer voor- of achteruit? Niet meer naar buiten of naar binnen?

Plotseling ontdekte ik een blikken trommel die op een plank in de berg stond. Ik deed hem open en vond een sleutel. Die deed ik in de deur, ik draaide hem om… en de deur gleed open.

Dan was het vast de bedoeling dat ik naar binnen zou gaan, bedacht ik. Maar eerst had ik me zes cijfers moeten herinneren. Waar had ik die cijfers vandaan gehaald? Om de een of andere reden kende ik ze gewoon. Ik geloof dat ik dacht dat ik helderziend was geworden. Ja, inderdaad helderziend, Nils. Ik vond het vreemd, maar het is nog vreemder om er nu aan te denken…

Ik scheen naar binnen in een kleine kamer en hier stonden honderden, misschien wel duizend piepkleine houten laatjes van de vloer tot aan het plafond. Eén ervan deed ik open. Het zat vol kaartjes. Ik pakte er een uit de la en las: *HJORT, VIDGIS: Jurgen gaat met Anne*, Oslo 1984.

Ik begreep dat ik in een groot kaartsysteem was aanbeland en dat de bibliotheek waarnaar alle kaartjes verwezen, enorm groot moest zijn. Ik heb tenminste nog nooit een groter kaartsysteem gezien, maar ik ben dan ook nog nooit in de universiteitsbibliotheek geweest.

Ik dacht natuurlijk aan Bibbi de Bok en begreep dat ik haar geheime bibliotheek gevonden had. Want hier was weer een deur en die zat niet op slot.

Ik liep op de deur toe en scheen op een affiche dat vlak boven de deur hing. Er stond:

NIET VOOR IEDEREEN

Jij bent een van de uitverkorenen die deze gewijde zalen mag betreden. Doe voorzichtig. Om je heen staan alle boeken die in de geschiedenis van de hele mensheid zijn geschreven. We zijn momenteel bezig de planken ook vol te zetten met boeken die geschreven zullen worden. LOOP VOORZICHTIG!

Ik wist niet wie dat allemaal had gemaakt, Nils, maar één van hen kende ik in elk geval. Want hier moesten ongelooflijk veel mensen bij betrokken zijn. Van al die vertrekken waarin ik was geweest had zij er in haar eentje nog niet één kunnen opblazen.

Ik bedacht dat ze jarenlang bezig waren geweest om de Fjærlandtunnel aan te leggen. Maar in het grootste geheim was er ook diep in de berg een geheime bibliotheek gebouwd. Een bibliotheek met plaats voor alle boeken van de wereld! En nu… nu was ik hierbinnen.

Sorry, maar ik dacht niet aan jou. Dit was het grootste geheim van mijn leven en nu was dit in elk geval iets helemaal alleen van mij.

Ik opende de deur en kwam in een vertrek dat ongeveer net zo groot was als een klaslokaal. Aan het plafond hing een zwak peertje. Langs alle wanden waren van vloer tot plafond kasten, en op de vloer stond iets met grote, rode letters geschreven. Er stond EGYPTE.

Ik durfde geen boek te pakken, maar ik ontdekte een paar hanenpoten op enkele ruggen. Ze leken een beetje op van die kindertekeningen van verschillende dingen in de natuur, zoals vogels, koehoorns en mensenfiguren. Zijn dat geen hiërogliefen?

Vanaf dat moment waren er geen deuren meer om te openen. Maar vanuit dit vertrek liepen enkele enorme openingen naar andere zalen. Nu weet ik hoe ik het beschrijven moet: het was alsof ik in een groot museum was. Je weet vast nog wel toen we verleden jaar in Oslo waren en papa ons meesleepte naar het Historisch Museum. Het waren precies zulke vertrekken en zulke openingen tussen alle vertrekken. Ik begon te rennen. Niet omdat ik bang was, Nils. Integendeel bijna, ik voelde me opeens zo licht en vrij als ik me sinds mijn kindertijd niet meer had gevoeld.

Ook in het volgende grote vertrek waar ik kwam stond iets op de vloer. Volgens mij stond er MESOPOTAMIË. Ik rende gewoon verder. Nu weet ik niet meer in welke volgorde alle vertrekken lagen. Overal hingen zwakke peertjes aan het plafond, maar ik had ook een sterke zaklantaarn en hoe donkerder het in een vertrek is, hoe meer licht er uit je zaklantaarn komt. Ik weet nog dat ik las: CHINA, INDIA, GRIEKENLAND, ROME...

Een paar keer bleef ik staan en scheen ik op de ruggen van een paar boeken. Want ik durfde ze nog steeds niet te pakken, ook al was ik hier helemaal alleen. Het allervreemdste dat ik meemaakte, krijg je nu te horen.

Elke keer als ik op de rug van een boek scheen, las ik iets wat ik al kende. Toen ik in het vertrek kwam dat ISRAËL heette, viel mijn oog op een boekje met de naam *Genesis*. Ik wist van tevoren dat het de naam van het eerste boek van het Oude Testament was, want dat hebben we net op school geleerd. In het Griekse vertrek las ik de naam 'Homerus' op een boek, en ook van hem heb ik tenminste gehoord. In het Romeinse vertrek las ik 'Caesar' op een boek en een ander boek heette *Homo sapiens*. Toevallig weet ik dat dit mens betekent. Zo ging het steeds verder!

Kun je je voorstellen wat voor gek gevoel dit gaf, Nils? Ik was omringd door duizenden, misschien miljoenen boeken, ja, misschien miljarden boeken. Telkens als ik met de zaklantaarn op een van de boeken scheen, had ik al van het boek of de schrijver gehoord. Toch ken ik maar weinig oude boeken of schrijvers…

Vanaf dat moment liep ik steeds sneller, van vertrek naar vertrek, van gang naar gang en van zaal naar zaal. Ik weet niet zeker meer of ik alle boeken die ik bekeek, nog weet, maar elke keer als ik een boek bekeek, was het bekend. WAARDOOR KWAM HET DAT IK MET DE ZAKLANTAARN STEEDS OP EEN BOEK SCHEEN DAT MIJ TOEVALLIG BEKEND VOORKWAM?

Ik zal je een paar voorbeelden geven die ik me heel zeker herinner. In het Duitse vertrek scheen ik op 'Grimm' en op 'Goethe'. In het Engelse vertrek scheen ik op 'Shakespeare', 'L. Caroll: *Alice in Wonderland*' en 'A.A. Milne'. In het Zweedse vertrek scheen ik op 'Astrid Lindgren'. Werkelijk geen enkele naam was nieuw voor me. Ik kreeg het gevoel dat ik alles wist wat de hele mensheid wist.

Er was iets wat nóg gekker was: ik herinner me dat ik 'Astrid Lindgren' las, en ik kende immers haar voornaam en achternaam. Maar ik las alleen 'A.A. Milne'. Híj is de schrijver van *Winnie de Poeh*, maar ik heb nooit geweten waar A.A. voor staat. Daarom stond er verder ook niets op zijn boek!

Dat joeg me geen angst aan, Nils. Ik was alleen maar blij, voelde me alleen maar opgelucht. We weten immers altijd alleen wat we weten. Het zou vreselijk zijn geweest als we opeens meer dan dat zouden weten. Waar zou dat dan vandaan zijn gekomen?

Ik bleef van het ene naar het andere vertrek rennen. Het was niet zo dat ik alleen maar in één richting liep, want ik kon altijd uit verschillende uitgangen kiezen. Het leek meer op een gigantisch groot doolhof. Misschien bestond het ook uit meerdere verdiepingen, want ik moest een paar trappen op en af lopen.

Toen kwam ik bij het vertrek waar NOORWEGEN op de vloer stond. Pas nu durfde ik een boek van de plank te pakken, want nu was ik als het ware op bekend terrein. Ik probeerde een van de boeken te pakken zonder de rug te lezen. Dat deed ik om te proberen een boek te pakken dat ik nog niet kende. Alleen al in dit vertrek stonden immers duizenden boeken.

Ik pakte het boek en sloeg het op goed geluk open. Toen las ik:

DE MIER

Klein?
Ik?
Verre van dat.
Ik ben precies groot genoeg.
Vul mezelf helemaal
in de lengte en in de breedte
van boven tot beneden.
Ben jij groter dan jezelf
misschien?

Ik zette het boek snel weer op de plank. HET WAS ALSOF IK ME ERGENS AAN HAD GEBRAND! Want juist dat ene gedicht kende ik al. Het is geschreven door Inger Hagerup en ik heb het verleden jaar op de laatste schooldag voorgelezen! Meer gedichten ken ik niet vanbuiten, niet één. (Behalve dan alle gedichten van Jan Erik Vold.)

Ik probeerde het nog één keer, en nu opende ik een boek bij het begin. Ik las: 'Åse: Peer, je liegt! Peer: O nee, dat waag 'k niet! Åse: Nou, zweer er dan op! Is het waar?' Ik zette het boek snel weer op zijn plaats, want het kwam immers uit dat toneelstuk van Henrik Ibsen dat we net op school hadden gelezen!

Ik begon weer te rennen en nogmaals meende ik een stem te horen die me lokte: 'Beeriit…'

Toen gebeurde het: ik betrad een zaal die bijna net zo groot was als een voetbalveld. Hier waren bijna geen boeken. Aan al die lange wanden hingen planken van hoog tot laag, maar er stonden maar twee boeken op. Op de vloer stond: BOEKEN DIE GAAN UITKOMEN.

Ik vloog op de twee boeken af en scheen op de ruggen. Op het ene boek stond: GUNNAR STAALESEN: *Begraven honden bijten niet.* Op het andere boek, Nils, en hou je vast, op het andere boek stond: *De magische bibliotheek van Bibbi de Bok.*

Ik begon haast te schreeuwen maar wist me in te houden. Ik deed het boek dicht en zette het terug.

Toen hoorde ik voetstappen in een ver weg gelegen vertrek. Ik begon te rennen om me van de voetstappen te verwijderen, maar hoewel ik zo hard mogelijk van de voetstappen wegrende, waren ze steeds dichterbij gekomen als ik bleef staan luisteren.

Even later stond ik weer in de grote zaal voor boeken die gaan uitkomen en nu hoorde ik de voetstappen in het vertrek ernaast.

TOEN KWAM ZE, NILS! Bibbi de Bok kwam het vertrek binnen en liet weer die betweterige glimlach zien.

'Nee maar, ben jij het?' zei ze met haar suikerzoete marsepeinstem, alsof ze helemaal niet verbaasd was dat ik daar was.

Ze liep op me toe, met lange, vastberaden stappen. Ze stak haar ene hand op en ging verder: 'Je hebt me weer voor de gek gehouden, Berit. Dat staat me helemaal niet aan!'

Toen werd ik wakker, Nils! Want alles was maar een droom. Ik ging rechtop zitten en gilde. Mama kwam aangerend. Je weet vast wel hoe dat gaat. Ik sloeg mijn armen om haar nek en huilde.

'Wat heb je gedroomd?' vroeg ze.

Het duurde lang voordat ik antwoord kon geven. Ten slotte hikte ik: 'De boekenheks, mama. Ik heb over die akelige boekenheks gedroomd...'

Mama troostte, streelde en omhelsde me. Ik kreeg zelfs bessensap, hoewel het midden in de nacht was. Ik vond wel dat ik het allemaal verdiend had. Ik was toch moedig geweest en had iets gedaan wat echt gevaarlijk was.

De volgende dag moest ik na schooltijd natuurlijk meteen écht naar het Bøyadal fietsen. Ik zette mijn fiets voor de ingang van de tunnel en hier zit ik nu met het brievenboek op schoot.

Ik denk aan wat er misschien in de berg zit, want de droom zit nog steeds in mijn hoofd. Het is alsof ik in een andere werkelijkheid ben geweest. Het is alsof mijn ziel in een soort fantasiewereld is geweest die werkelijk ergens bestaat aan de kant van de wereld waarin mijn lichaam woont.

Ik heb zoveel rare gedachten in mijn hoofd, maar ik denk dat ik je het brievenboek nu snel moet sturen, dus fiets ik weer terug en doe het op de post. (Ik stuur het per aangetekende post, ook al is dat veel duurder.) Bovendien heb ik heel veel huiswerk voor morgen.

Misschien is mijn ziel de berg onder de Jostedalsgletsjer ingejaagd door jouw brief. Maar nu is het ernst, Nils. JE MOET HIER ZO SNEL MOGELIJK NAARTOE KOMEN.

Vanaf maandag hebben we hier een hele week herfstvakantie. Hoe is dat bij jullie? Spijbel vrijdag maar...

Je handlanger voor eeuwig Berit, de waaghals van het Bøyadal

PS. Ik kan me niet voorstellen dat Anne-Cath. Vestly zich met stiekeme zaakjes inlaat. Misschien probeerde de Grijns haar te strikken omdat ze zo'n goed contact met veel kinderen heeft. En ze weigerde: 'Dit is mijn terrein niet.'

PS. PS. Het filmmanuscript is misschien wel door Bibbi de Bok geschreven. Het moet in elk geval geschreven zijn door iemand die Fjærland goed kent.

Beste Berit,

Als je dit leest ben ik, zoals je nu dus weet, in Fjærland. Ik schrijf toch, want ik heb het gevoel dat ik beter kan denken als ik schrijf dan wanneer ik praat. Je laatste brief was fenomenaal! Net een sprookje. Je zou het naar een weekblad moeten sturen, want als mam een reis naar Rome kon winnen met *De stad van mijn jeugdliefde*, zou jij met jouw verhaal minstens een reis rond de wereld moeten winnen. Je schreef op een manier die me deed geloven dat het een sprookje uit de realiteit was, het was dus een droomsprookje. Maar Berit, ik denk dat het toch waar was. In elk geval een groot deel. Want alles wat je droomde, kwam uit de realiteit: de schrijvers, Bibbi de Bok, de tunnel. Je kende dit alles, maar je zag geen verband voordat je in slaap viel. Toen viel alles als puzzelstukjes op zijn plaats. In een flits heb je een blik in de magische bibliotheek van Bibbi de Bok geworpen. Maar het belangrijkste boek in de bibliotheek kon je zelfs in je droom niet lezen, want de puzzelstukjes om dat boek te openen hebben we nog niet gevonden.

Terug naar de werkelijkheid, Berit. Ik zit nu op de kade in Flåm te schrijven terwijl ik op de veerboot wacht. Het was een fantastische treinreis.

Zodra ik in de nachttrein zat, trok ik mijn pyjama aan en kroop in bed.

Mama heeft in Rome een nieuwe pyjama voor me gekocht. Hij is rood met knopen en witte stippen. Heel voornaam, maar dat is een ander verhaal.

Oké. Ik was bekaf en wist dat ik dringend een 'nachtje goed slapen' nodig had. Dat zegt papa altijd.

Denk je dat ik kon slapen? Nee hoor! Nils Bøyum Torgersen slaapt nooit. Vooral niet als er in het bovenbed een dikke kerel als een motorzaag ligt te snurken.

Een uur lang lag ik te draaien en te woelen, toen gaf ik het op. Ik kleedde me aan en ging de gang in. Ik had een boek meegenomen, *Broertje en de dwerg* van Anne-Cath. Vestly. Het kind in me heeft me vast juist dat boek laten kiezen. Bovendien voel ik me ook een soort broertje. Want ook al heb ik geen grote broer Phillip, ik heb in elk geval wel een groot nichtje, Berit. (Hum, hum.)

Ik liep de gang door om te kijken of ik een coupé met zitplaatsen kon vinden. In de volgende wagon was een coupé voor rokers. Ik keek door het raampje van de deur naar binnen en deed met zo'n schok een pas naar achteren dat ik bijna het raampje achter me kapotmaakte.

Niet de twee dames die zaten te kaarten, maakten me bang. Ook niet de oude man die een pijp zat te roken en die zijn hoed nog op had.

Nee, het was die kleine, kale kerel die aan het raam aan een sigaret zat te trekken die mijn hart deed bonken. HET WAS DE GRIJNS!

Goede raad was duur en noodzakelijk. Wat deed hij in de trein? Was het toeval? Nee, vast niet. Ik heb de laatste tijd zo veel 'toevalligheden' meegemaakt dat ik volgens mij iets echts kan herkennen als ik het tegenkom. Dit toeval was net zo vals als de vriendelijkheid van Reinert Bruun.

De Grijns zat in de trein omdat ik er ook was. Hij was op pad, op spionagetocht. Maar nu waren de rollen omgekeerd. Nu had Nils B.T. de touwtjes in handen. Ik keek voorzichtig de coupé weer in. De Grijns pakte zijn pakje sigaretten. Het was leeg. Hij stond op.

Als een haas vloog ik het toilet in, de deur op een kier. De Grijns verscheen. Hij bleef voor de deur stilstaan en een afschuwelijk en gruwelijk moment lang dacht ik dat hij naar de wc moest. Gelukkig liep hij verder. Ik haalde geluidloos opgelucht adem, opende voorzichtig de deur en liep hem achterna. Dat was riskant, maar ik nam de gok en hij draaide zich niet om.

115

Hij ging de slaapcoupé met de nummers 61, 62, 63 binnen, en ik bleef achter in de gang staan wachten. Als een panter die iets op het spoor is. Klopte mijn theorie? Ik hield *Broertje en de dwerg* stevig vast!

Hij kwam meteen weer naar buiten. Mijn vermoeden was juist en nauwkeurig geweest. Hij ging sigaretten halen.

Hop! Het volgende moment was Nils Bøyum Torgersen terug in het toilet. Bleek, maar alert. Ik hoorde de onaangename stappen van de Grijns toen hij langsliep.

Ik wachtte vijf seconden. Misschien tien. Toen liep ik rustig de gang door en ging slaapcoupé 61, 62, 63 binnen.

Ik had mijn plan klaar. Als daar iemand zou zijn, zou ik gewoon zeggen dat ik me vergist had, dan was dat afgehandeld; maar de coupé was leeg.

Ik keek snel om me heen. Zijn koffer stond op de grond. Ik zag meteen dat er een codeslot op zat. Daar kon ik niets mee. Het onderste bed was onopgemaakt. Ik zou vannacht vast niet de enige zijn die niet kon slapen. Op het gekreukelde laken lag een brief. Ik legde het boek op het kussen, pakte de brief en las:

Marcus! Blijf weg uit Fjærland. Heb een beetje geduld. Laat het aan mij over! Bibbi.

Het drong bliksemsnel tot me door dat ik (wij) gelijk heb(ben) met mijn (onze) theorie. Bibbi de Bok en de Grijns (die dus Marcus heet) werken samen aan iets wat met ons te maken heeft.

Ze weten dat we binnenkort allebei in Fjærland zijn, maar hij is ongeduldiger dan zij. Hij wil iets met ons, maar zij wil het zelf regelen.

Ik heb het gevoel dat we het laatste hoofdstuk van dit mysterie naderen, en ik ben er niet zeker van dat het zo leuk voor ons zal zijn.

Nadat ik de brief gelezen had, ging ik naar mijn eigen coupé. Ik ging op bed liggen en wonder boven wonder: ik viel in slaap.

Toen de conducteur me wakker maakte en ik mijn koffer wilde pakken, ontdekte ik iets wat me klaarwakker maakte. Ik had het boek in de coupé van de Grijns laten liggen!

Er was geen sprake van om het te gaan halen. Het moest maar blijven waar het was. Het zou trouwens goed voor hem zijn om dat soort literatuur te lezen.

Nu zit ik dus hier in Flåm in een in mist gehuld landschap.

Hoewel ik bang ben, is het goed om te bedenken dat we binnenkort samen zijn. Ik voel me op dit moment nogal rustig. Het is hier zo stil. Net alsof er niets gevaarlijks kan gebeuren. Nu hoor ik voetstappen. Er komt iemand aan. Het is de Grijns. Hij...

DE NAÏEVE IDIOTEN ZIJN REGELRECHT IN DE VAL GELOPEN. HET OGEN- BLIK VAN DE WAARHEID NADERT! TE DRUKKEN IN SABON 12/14 PUNT (NILS) EN BERKELEY OLD STYLE 12/14 PUNT (BERIT). M.B.H.

Deel 2

De bibliotheek

We zijn regelrecht in de val gelopen, en dat hadden we moeten weten. Maar ook een stommerik kan een spoor volgen.

Hij had immers in het brievenboek geschreven dat we allebei in 12/14 punt gedrukt moesten worden! En maar een paar dagen later zitten we hier al.

Ik kijk naar Nils, die tegenover me aan de andere kant van de enorme tafel zit. Hij zit op zijn stoel te draaien en is bezig zijn potlood op te eten. Zelf ben ik begonnen met nagelbijten.

We horen voortdurend telefoons in andere kamers rinkelen, en we horen drukke voetstappen buiten op de gang. Alleen hierbinnen is het volkomen stil.

Af en toe steekt een lachend hoofd om de deur om te kijken hoe het met ons gaat. Een halfuur geleden was ze hier met een paar boterhammen. Het is beter om aan de slag te gaan. Nils moet als eerste.

Ik zat op een bankje op het station van Flåm in het brievenboek te schrijven toen ik de voetstappen hoorde. Ik keek op, recht in het verwrongen gezicht van de Grijns. Ik weet niet of het echt verwrongen was, maar zo kwam het op mij over. Hij stond als een donkere schaduw voor me en zei met een lage, zachte stem: 'Ik heb iets wat van jou is, mijn jongen, en jij hebt iets van mij.'

Het filmmanuscript, dacht ik. Hij wil het filmmanuscript terughebben.

'Prima,' fluisterde ik. 'We kunnen ruilen.'

Hij glimlachte en deed een stap in mijn richting.

Toen ging ik ervandoor. Weg van de Grijns, de zonsopgang,

het brievenboek en alles. De veerboot had net aangelegd. Ik stormde aan boord, langs de auto's die bezig waren de boot af te rijden, en sloot me op in de wc. Ik begreep dat de Grijns achter me aan zat, dus ik bleef daar tot ik moest overstappen en naar een andere wc moest. Dat ging gelukkig goed.

Toen we in Fjærland aankwamen, ging ik niet naar buiten voordat ik absoluut zeker wist dat alle passagiers aan land waren gegaan.

Op de kade was geen mens te bekennen. Berit had het wachten vast al een hele tijd geleden opgegeven. Langzaam liep ik naar het hotel.

Tante heeft niet veel ruimte, dus had ze daar een kamer voor me gereserveerd. Dat vond ik uitstekend. Het betekende dat het detectivebureau Bøyum & Bøyum echte kantoorruimten had. Ook al voelde ik me geen detective meer, alleen nog maar een domme, beschaamde en doodsbange jongen van twaalf. Dom omdat ik het filmmanuscript had gestolen. Beschaamd omdat ik het brievenboek had verloren, nee, erger nog, het in de smerige handen van de vijand had overgelaten. Doodsbang omdat ik zeker wist dat hij hier in Fjærland was en zich elk willekeurig moment in mij kon vastbijten, of hoe dat ook maar heet.

Eindelijk kwam ik de receptie van het hotel binnen met mijn tong op het onderste knoopsgat. Ik mompelde mijn naam, kreeg de sleutel en wilde me net de trap op slepen toen ik iets in mijn rug voelde steken. Ik hoorde een onduidelijke stem achter me.

'Handen omhoog!'

Ik weet dat mijn fantasie af en toe zijn eigen weg gaat, en dat ik me dingen kan verbeelden die honderden kilometers van de werkelijkheid verwijderd zijn. Maar deze keer had ik honderden goede redenen om te reageren zoals ik deed. Ik was al zo bang en wachtte op het moment dat de Grijns vanachter een vaas of een deur zou opduiken om de diefstal van het filmmanuscript te wreken. Dus handelde ik volkomen instinctief, precies zoals het Fantoom of Batman als zij van achteren worden aangevallen. Ik draaide in het rond, dook en gaf de persoon achter me een kopstoot in de buik.

'Auuuuu! Aiiii! Ben je gek? Ohhhh!'

Het was de Grijns niet, het was Berit. Ze hield haar hand op haar buik en keek me aan met een blik die vijftig procent woede en vijftig procent verbazing uitdrukte.

Ik lag voorover en keek haar dom aan.

'Sorry. Ik wist niet dat jij het was!'

'O nee? Geef je alleen andere mensen een kopstoot?'

'Je liet me schrikken.'

'Ja, en dat zal ik nooit meer doen.'

Opeens lachte ze. Ze had lippenstift en mascara op en was heel mooi voor een nichtje. Om de een of andere reden voelde ik me pas tien.

'Heb je het brievenboek?'

Ik slikte en voelde dat ik bloosde. Jan Kluns was weer eens bezig.

'Het zit zo...' begon ik, maar Berit onderbrak me.

'Hoor eens, er zit iemand in de lounge die ons wil spreken.'

Gered door de bel, dacht ik en liep achter Berit aan door de zitkamer. Ze praatte verder onder het lopen.

'Hij zegt dat hij een contract voor ons heeft. Hij kent jou, denk ik, en dus...'

Ik pakte haar bij de arm en kneep toe. De man zat in de lounge uit het raam te turen. Hoewel hij met de rug naar ons toe zat, was het alsof ik zijn gluiperige glimlach door zijn kale kop heen naar mij zag grijnzen. Berit kreunde.

'Au, wat doe je...?'

Ik legde mijn hand op haar mond en trok haar de receptie in. Heel professioneel voor zo'n jonge detective, als je het mij vraagt.

'De Grijns,' fluisterde ik. 'Dat is de Grijns.'

Berit sperde haar ogen open en staarde me aan.

'Als ik je nu loslaat, ga je dan gillen?' vroeg ik. Een vraag die al miljoenen detectives vóór mij hadden gesteld. Ze schudde haar hoofd.

'Jouw kamer of de mijne?' vroeg ik zacht.

'De jouwe, stommerik,' fluisterde ze en begon de trap op te rennen. Ik volgde haar. Een halfuur later had ik het hele verhaal verteld. Ik was niet zo flink als ik deed voorkomen, en nu zat ik op een blauwgeverfde houten stoel te trillen met het gevoel dat ik in tranen ging uitbarsten.

'Wat moeten we doen?' vroeg ik.

'Wat moeten we doen?' Ik vond het niet zo moeilijk om die vraag te beantwoorden.

Het eerste wat er gebeurde toen Nils in Fjærland aankwam, was dat hij mij een kopstoot in mijn buik verkocht, zodat ik bijna geen adem meer kon halen. Even later legde hij zijn hand op mijn mond en wurgde me bijna.

Het ergste was natuurlijk dat hij het brievenboek was kwijtgeraakt. Hij had het op een bank in Flåm gelegd en het de Grijns praktisch in handen gespeeld. Ik werd zo kwaad dat ik haast ontplofte. Nu moest hij maar zien dat hij het terugkreeg.

De Grijns had in het hotel weten in te checken, zelfs op dezelfde gang als waar Nils zijn kleine onderkomen had. Ik had al met hem gepraat, maar ik besefte niet dat hij wel eens de Grijns kon zijn. Hij had weliswaar de hele tijd zo'n zelfverzekerde glimlach om zijn mond, maar dat hebben zoveel mensen.

Al voor zijn komst had ik gehoord dat hij had geëist in de enige suite van het hotel te worden ondergebracht, met een enorme veranda en panorama-uitzicht over de fjord en de gletsjer. Was hij misschien een rijke zakenman?

Zelf ontmoette ik hem voor het eerst in de biljartkamer, waar ook de bibliotheek van het hotel is. Terwijl ik op Nils wachtte en geen idee had dat er gevaar dreigde, stond ik een beetje voor de grap te biljarten. Ik ben niet zo slecht in geometrie en eigenlijk is biljart precies hetzelfde. Je hoeft eigenlijk alleen maar hoeken te berekenen.

Toen stond hij daar, de nieuwe hotelgast – de man over wie geruchten de ronde deden omdat hij koste wat kost in de allerduurste kamer wilde logeren. Ik begreep dat híj het moest zijn, want er waren die middag maar twee nieuwe gasten aangekomen. ('s Avonds zouden er ook nog een paar leraren aankomen.) De ander was een Italiaan die met de vorige veerboot was aangekomen en die geen woord verstond in een andere dan zijn eigen taal. Dat had voor een paar problemen gezorgd, want in Hotel Mundal is Italiaans ongeveer de enige taal die niemand beheerst. Maar men had voldoende begrepen om te weten dat hij een beetje een zonderling was. Hij wilde bijvoorbeeld meteen naar het gletsjermuseum en hoefde niet te eten.

De man met de zelfverzekerde glimlach begon boeken van de planken te pakken, en ik weet nog dat ik dacht dat hij zich beter daarmee kon bezighouden dan dat hij met mij zou biljarten.

Hij zette een prachtboek over de Jostedalsgletsjer terug op de plank, keerde zich om naar mij en zei: 'Mooie bibliotheek…'

Er moet een belletje in mijn hoofd hebben gerinkeld, maar die bel zat zo ver weg in mijn hoofd dat het rinkelende geluid mijn oren niet wist te bereiken voordat hij verderging: 'Het hotel heeft een heleboel interessante boeken. Jammer dat ze allemaal door elkaar staan, zonder enig systeem.'

Ik was zo verbaasd dat ik zei: 'Dan moet je eens naar de openbare bibliotheek gaan. Daar gebruiken ze Dewey.'

Hij glimlachte de hele tijd, nu fronste hij zijn wenkbrauwen. Ik moest goed nadenken, nam de gok en zei: 'Als je vooral geïnteresseerd bent in bergen en dalen, dan vind je dat van 550 tot 559.'

Het leek wel een kennistest, ongeveer net als Weekendmiljonairs op tv. Pas een paar dagen later drong het tot me door dat hij het gesprek alleen maar was begonnen om me te dwingen me voor te stellen. Hij zei: 'Je imponeert me, meisje. Vertel eens... weet je of hier ergens nog een andere bibliotheek is?'

Dat 'meisje' stond me niet aan, net zomin als dat met die andere bibliotheek. Ik keek naar de biljarttafel en stuurde de zwarte marmeren bal het laken over. Hij botste tegen de beide witte ballen.

Ik dacht natuurlijk aan Bibbi de Bok, maar ik had geen moment in de gaten dat ik met de Grijns aan de praat was. In de eerste plaats had ik geen idee dat hij op weg was naar Fjærland. Daarnaast had ik me hem nog wat gluiperiger voorgesteld.

Ik stond dus met iemand te praten die in elk geval iets moest hebben gehoord wat met Bibbi de Bok te maken had...

'We hebben een kleine bibliotheek op school,' zei ik.

Over zijn gezicht vloog een bliksemflits. Hij was vast boos, en zo niet, dan was hij opgewonden. Het was alsof zijn ogen zeiden: 'Hou me niet voor de gek!' Zijn mond zei echter: 'Dat moest ook eens niet zo zijn!'

We zwegen beiden een tijdje. Dat vond ik zo vervelend dat ik zei: 'De school is nu gesloten. We hebben een hele week herfstvakantie.'

Hij gromde: 'Ik ben hier maar tot morgen. Als je mij een beetje wilt helpen... levert het jou ook iets op.'

Ik kreeg zin om ervandoor te gaan, want ik vond het geen prettige gedachte dat een wildvreemde iets wilde doen wat mij 'iets zou opleveren'. Dat hij misschien een rijke zakenman was, maakte de zaak er niet beter op. Ik had wel zo'n vermoeden waar hij opuit was. Ik dacht aan al die boeken van Bibbi de Bok...

'Ik heb een contract,' zei hij. 'Eén voor jou en één voor Nils. Meer dan ons drieën hoeven we er niet bij te betrekken... snap je?'

Dat had ik natuurlijk moeten doen, maar ik begreep er geen hol van. Hoe kende hij Nils? En wat bedoelde hij met een 'contract'? Waarover?

Billie Holiday kwam binnen en zij was mijn reddende engel. Ze zei dat ze me op kantoor wilde spreken. Toen we de kamer uitliepen, zei de rijke zakenman: 'We spreken elkaar nog wel.'

Op weg door de lounge vroeg Billie of ik hem al eens eerder had ontmoet. Ik schudde mijn hoofd. Toen vroeg ze me of ik zin had om met de bediening in de eetzaal te helpen.

Hoewel ik wist dat Nils eraan kwam, zei ik ja. Dit was de tweede keer die middag dat me aangeboden werd om geld te verdienen. Ik wist zeker dat ik het juiste aanbod had aangenomen.

Toen kwam Nils, in gevaarlijk goede vorm voor de herfstjacht. Toen ik hoorde wat er in Flåm gebeurd was, twijfelde ik dus geen moment aan mijn antwoord op de vraag wat we moesten doen.

'Jij hebt het brievenboek zoekgemaakt,' zei ik. 'Probeer het nu ook maar weer op te duikelen!'

Ik zei ook nog iets anders: 'Ik kan de gedachte niet uitstaan dat de Grijns alles zal lezen wat we aan elkaar hebben geschreven.'

Dat had hij natuurlijk al gedaan. Daarom had hij het vast en zeker over 'een andere bibliotheek' gehad. Hij had alles uit het brievenboek gehaald!

We ontdekten dat hij zich had ingeschreven als Marcus Buur Hansen en dat hij in kamer 115 logeerde. We besloten dat Nils de kamer zou zien binnen te komen tijdens het avondeten. Ik zou proberen de sleutel van een van de kamermeisjes te bemachtigen.

Zelf moest ik in de eetzaal bedienen. Op die manier kon ik er in ieder geval voor zorgen dat de Grijns zich tijdens het eten rustig hield…

Mijn beste nichtje heeft natuurlijk gelijk. Het was verdikkeme mijn taak om het brievenboek terug te bezorgen. Ik sloop de trap op en over de gang naar de kamer waar de Grijns zijn intrek had genomen. De sleutel die ik van Berit had gekregen was kleddernat van het zweet in mijn handpalm. Ook al wist ik dat de Grijns Marcus Buur Hansen in de eetzaal zat en lamsgebraad met cranberrycompote naar binnen zat te werken, had ik het gevoel alsof ik pudding in mijn benen had, en mijn hand trilde als een espenblad in de storm toen ik probeerde de sleutel in het sleutelgat te steken. De derde poging had succes. Ik draaide de sleutel om en de deur ging langzaam open. Ik geloof niet dat hij erg kraakte, maar in mijn oren klonk het alsof twee katten in de deuropening voor hun leven vochten. Ik liet de deur op een kier staan en liep kamer 115 binnen.

Het was de mooiste kamer van het hotel, en Berit had me van alle beroemdheden verteld die hier hadden gelogeerd. Voor mij had het echter net zo goed een gevangeniscel of een hut van afvalhout kunnen zijn. Ik dacht alleen maar aan het terugvinden van het brievenboek en zo snel mogelijk weer verdwijnen. Ik keek om me heen en… de hemel zij dank… daar lag het! Midden op het nachtkastje van de Grijns. Ik slaakte een zucht van verlichting, die klonk als een kreun. Ik kneep mijn lippen op elkaar en pakte het schrift. Het lag open op de laatste bladzijde en ik kon mijn eigen handschrift lezen: 'Het is hier zo stil. Net alsof er niets gevaarlijks kan gebeuren. Nu hoor ik voetstappen. Er komt vast iemand aan. Het is de Grijns. Hij…'

Alles was vast oké. Ik sloeg de bladzijde om en voelde het bloed uit mijn gezicht verdwijnen. Boven aan de bladzijde stond geschreven in een handschrift dat niet van mij of van Berit was:

De naïeve idioten zijn regelrecht in de val gelopen. Het ogenblik van de waarheid nadert! Te drukken in Sabon 12/14 punt (Nils) en Berkeley Old Style 12/14 punt (Berit). M.B.H.

Ik ging op bed zitten. Ik probeerde de ijzeren greep om mijn hart te verslappen, maar het lukte niet. Wat was het ogenblik van de waarheid? Waar moesten we gedrukt worden? Wie of wat was Sabon en Berkeley Old Style? Ik snapte er geen hout van, maar ik twijfelde er geen moment aan dat we echt in gevaar verkeerden. De oude heksengeschiedenis schoot me door het hoofd. Stel dat de Grijns en Bibbi de Bok echt...

Mijn hoofd tolde. Ik zag mezelf al zitten bij een akelige Sabon met gele tanden en vlammende ogen.

'Nou, Nils,' siste de Sabon, 'nu is het ogenblik van de waarheid gekomen!'

Bijna gilde ik het uit en dat zou ik misschien ook wel hebben gedaan als de realiteit me niet uit mijn enge fantasieën zou hebben gerukt. Met de werkelijkheid viel dan ook niet te spotten. Er waren namelijk snelle voetstappen op de gang hoorbaar, en die kwamen mijn kant uit.

Ik moet zeggen dat ik geen idee heb hoe ik er terechtkwam, maar het volgende ogenblik stond ik op een enorme veranda voor kamer 115 en hoorde de Grijns binnen in zichzelf praten. De deur naar de veranda stond open, maar ik had de gordijnen in elk geval dichtgetrokken.

'Dat is raar,' mompelde hij. 'Ik weet zeker dat ik de deur op slot heb gedaan toen ik...'

Toen werd het volkomen stil en daarna brulde de Grijns iets wat ik maar beter niet op papier kan zetten. Wel kan ik zeggen dat hij flink over zijn toeren was. Pas op dat moment drong het tot me door dat ik het brievenboek in bezit had. Ik had het meegegrist zonder het te beseffen. Ik was een idioot! Een amateurdetective die nog niet eens door een vergrootglas zou mogen kijken! Ik had het schrift natuurlijk moeten laten liggen. De Grijns was vast naar boven gekomen omdat hij iets had vergeten. Als ik het schrift niet weggepakt had, zou hij ongetwijfeld meteen weer naar beneden zijn gegaan en dan zou de rest een fluitje van een cent zijn geweest. Nu was dat niet het geval. Hij zou gaan zoeken en vroeg of laat zou hij het balkon op lopen en dan…

Ik keek naar beneden en vroeg me af of ik zou proberen te springen toen ik de stem van de Grijns hoorde. Hij telefoneerde en zijn woorden deden mijn oren tot koolbladeren groeien.

'Bibbi, met Marcus. Nu is het mooi geweest. (PAUZE.) Ja, inderdaad, en volgens mij is dat meer dan voldoende. Er zitten grenzen aan de hoeveelheid sap die je uit twee citroenen kunt persen. (PAUZE.) Ga niet te ver, Bibbi. Ik kan geen eeuwigheid wachten. (PAUZE.) Dan moet ik de zaak in eigen hand nemen.'

Toen legde hij op en verliet snel de kamer. Ik zuchtte weer. Nee, ik kreunde en dit keer niet van opluchting maar van angst. Het was zonneklaar dat de Grijns dacht dat Bibbi de Bok ons brievenboek had gejat. Dat maakte hem blijkbaar woedend. Maar waarom? Wat betekenden onze privé-brieven voor hem en wat betekenden ze voor haar? Hij had zich erg opgewonden, alsof zijn leven op het spel stond, en nu wilde hij de zaak in eigen hand nemen.

Welke zaak? Vormden Berit en ik de zaak? En hoe was hij van plan ons in 'eigen hand' te nemen? Vast niet met zijden handschoentjes, daarvan was ik overtuigd.

Iets engs stond op het punt te gebeuren en ik wist zeker dat Marcus Buur Hansen op weg was naar Bibbi de Bok om de zaak in zijn weerzinwekkende hand te nemen.

Opeens voelde ik dat ik ijskoud werd. Of om het anders te

zeggen: ik werd witheet! Wat verbeeldden ze zich wel? Wat was dat voor spelletje dat ze met Berit en mij speelden? We hadden hun niets gedaan! Het was óns brievenboek. Ik wilde het terug hebben. Ik was de geheimzinnige sporen, geheime bibliotheken en kale, grijnzende boekendieven spuugzat. Ik wilde het brievenboek terug hebben en ik wilde herfstvakantie!

Ik ging 115 binnen en schopte een stoel omver waarover de Grijns een jas had gehangen. Toen verliet ik de kamer en rende de gang door en de wenteltrap af die naar de keuken leidde. Ik liep de eetzaal in naar Berit die bezig was een Amerikaans echtpaar rozijnenpudding te serveren. Ik smeet het schrift op tafel zodat het water in de karaffen opspatte.

'Nu is het mooi geweest!' riep ik. 'Het ogenblik van de waarheid is aangebroken!'

'*Young man, I must say…*' begon de Amerikaan, maar ik keek hem zelfs niet aan. Ik gunde hem geen blik waardig, heet dat vast.

'Hier is het brievenboek!' zei ik.

'!!!!!????????'

Berit zag eruit als vijf uitroeptekens en acht vraagtekens.

Ik pakte haar bij de hand.

'Nu gaan we naar Bibbi de Bok,' zei ik.

Daarmee trok ik haar de eetzaal uit voordat ze een woord kon zeggen. Het laatste wat ik hoorde was de stem van de Amerikaan: '*Can anybody tell me what's happening here?*'

Ik vertelde Bibbi het hele verhaal, over het telefoongesprek, het dreigement en alles. Ze luisterde zonder een woord te zeggen. Toen ik uitgesproken was, zag ik dat ze heel ernstig keek.

'Ja,' zei ze. 'Het ogenblik van de waarheid is aangebroken.'

Toen ik dat zei, moest ik aan allerlei dingen denken… Eerder die dag was ik opeens bevorderd van dochter van een van de keukenhulpen tot serveerster in de eetzaal. Het was niet alleen mijn eerste betaalde baan, maar het was ook de allereerste keer dat ik eten serveerde. Tijdens het diner drong het tot me door dat het ook de laatste keer zou zijn, in elk geval in Hotel Mundal.

Alles was heel plezierig begonnen. Het werd in elk geval niet zo'n bediening met 'soep op schoot' en 'lamsgebraad in het haar'. Het enige probleem was dat ik ook de Grijns moest bedienen. Ik deed alsof ik hem nog nooit had gezien...

Toen hij zijn bloemkoolsoep op had en ik net een flesje bronwater op zijn tafel had gezet, zat hij opeens zo stijf als een plank. Het leek wel alsof hij een stok had ingeslikt. De situatie deed me denken aan die keer dat we naar Tenerife gingen en mama opeens bedacht dat ze haar bikini op een van de verwarmingsradiatoren had laten hangen. Het probleem was dat we ons op 40.000 voet boven Gibraltar bevonden toen ze daaraan dacht. 'We moeten omkeren!' zei ze. Die keer had mama bijna een vliegtuig gekaapt, maar dat is later nooit meer voorgekomen.

De Grijns had precies dezelfde blik, maar die duurde maar even. Het volgende moment stond hij op en begon met snelle passen door de eetzaal te lopen.

Ik dacht bliksemsnel: hij is natuurlijk op weg naar zijn kamer. Maar als hij een bikini op de verwarmingsradiator heeft laten hangen, dan is Nils daar nu, en als hij vindt dat er een brandlucht hangt, zal hij daar ongetwijfeld iets aan doen.

Ik holde achter hem aan en haalde hem in op het moment dat hij de eetzaal verliet.

'Je hebt je... lamsgebraad nog niet gehad,' zei ik en pakte hem bij de mouw. 'Je denkt toch niet dat het is aangebrand?'

Ik zei het zo luid dat de halve eetzaal het wel gehoord moet hebben. De Grijns rukte zich echter los en holde verder.

Zelf rende ik de muziekkamer in, want ik wist dat die recht onder de suite van de Grijns lag. Ik pakte een paar cd's van de romances van Grieg en gooide ze tegen het plafond. Dat was wel het minste wat ik voor Nils kon doen, dacht ik, maar het was dan ook het enige.

Ik rechtte mijn rug en ging de eetzaal weer binnen. Alle gasten keken me aan en Billie Holiday stak haar hoofd om het buffet. Ze probeerde me met haar blik te doden.

Erger was dat de Grijns een paar minuten later weer beneden kwam. Hij kookte van woede, zijn gezicht deed aan een gebakken tomaat denken, want het was niet alleen knalrood, maar ook totaal verwrongen.

'Berit!' riep hij, alsof ik zijn dochter was, of nog iets ergers. 'Eten!'

De andere gasten zaten aan hun rozijnenpudding en weer keken ze op van wat een vreedzame maaltijd in het rustigste hotel van de wereld had moeten zijn. Ik haalde de schaal met het lamsgebraad van het buffet en zette hem op zijn tafel. Hij slingerde een paar plakken op zijn bord en had een paar minuten nodig om ze naar binnen te werken. Toen ging hij er weer vandoor. Zonder rozijnenpudding en zonder de rode wijn te drinken die Billie op zijn tafel had gezet, omdat ik beneden de achttien was en geen wijn mocht serveren.

Ik wist niet helemaal zeker of hij Nils al had vermoord, maar ik was ervan overtuigd dat hij hem in elk geval had opgesloten. Ik stond daarom paf toen Nils opeens vanuit de hotelkeuken de eetzaal binnen kwam rennen. Hij zag eruit als een tamme tijger die juist had besloten weer wild te worden.

De olie-ingenieur uit Seattle was van het type dat vast en zeker een ongecontroleerde eruptie met de grootst mogelijke gemoedsrust zou hebben waargenomen. Maar zijn gezicht verstrakte toen Nils het brievenboek op zijn tafeltje neersmeet zodat het water uit het glas van mevrouw olie-ingenieur op haar borst spatte.

'*Young man,*' zei hij, '*I must say you are a little out of control.*'

Toen ik zei dat 'het uur van de waarheid was aangebroken', dacht ik niet alleen aan Bibbi de Bok. Ik dacht aan mijn eigen toekomst in Fjærland. Ik dacht ook aan mama. Zij bleef immers in de keuken achter...

'Can anybody tell me what's happening here?'

Buiten was het zo licht of zo donker als een kwartier voordat het pikkedonker is. Zodra we bij de kerk waren aangekomen, begon het ook nog te regenen.

'Regenjas?' vroeg ik.

Nils schudde zijn hoofd.

'Nu of nooit,' zei hij. 'Want nu is Torgersen woedend en dat komt goed van pas.'

Het volgende moment hoorden we een donderslag in de verte. Het klonk als een echo van de woede van Nils. Ik weet nog dat ik dacht dat ik het wel fijn vond dat Nils over een beetje temperament beschikte.

'Wat is daar gebeurd?' vroeg ik.

'Niets bijzonders. Ik denk dat hij Bibbi de Bok gaat vermoorden.'

We liepen in de richting van het Mundalsdal.

'Ik vind het maar niks om lokvoer voor een bibliofiele dame te zijn,' zei Nils. 'Of voor een grijnzende boekendief die probeert tegen betaling hulp te krijgen van mijn nichtje.'

Ik knikte, maar volgens mij zag Nils het niet. Toen zei ik: 'We zijn in elk geval midden in de vuurlinie tussen twee *crazy* types terechtgekomen. Denk je dat we gewoon kunnen aanbellen... en gewoon kunnen vragen hoe het ermee gaat?'

'Aanbellen, ja hoor! Dan ga ik vragen waarvóór ze ons gebruiken.'

Weer hoorden we een donderslag, en dit keer zorgde het rommelende geluid ervoor dat Nils stokstijf bleef staan, hoewel de regen met bakken uit de hemel viel en mijn mascara inmiddels waarschijnlijk mijn halve gezicht bedekte.

'Dit heb ik al eens eerder meegemaakt!' zei hij.

'Wat bedoel je?'

'Dit! Dat we hier lopen, dat het regent... Ik weet het zeker.'

'Bah, je maakt me bang.'

'Misschien wel, maar dan heb ik dat ook al eens een keer eerder gedaan.'

'Zullen we teruggaan?' vroeg ik.

'Niks ervan,' zei hij en hij liep door.

'Snel, Berit!'

Ik had hoe dan ook méér met Bibbi de Bok te maken gehad dan hij, dus zei ik: 'Ik weet niet of ik durf.'

'We moeten wel,' zei Nils.

'Maar ik ben echt bang.'

'Ik ook.'

Toen we bij het muurtje en de toegangspoort waren aangekomen, zagen we licht uit het gele huis van Bibbi de Bok komen. We waren kletsnat, maar Nils tegenhouden was op dit moment onmogelijk. Het drong tot me door dat hij hier misschien nog wel meer van bezeten was dan ik omdat hij de Grijns al eerder had ontmoet. Bovendien was hij alleen maar tijdens deze herfstvakantie in Fjærland. Ik woonde hier.

Voor ik het goed en wel doorhad, hadden we aangebeld. Ik was hier niet meer geweest sinds die keer dat ik hier had ingebroken en het leugentje om bestwil had verteld over de verkoop van loten als inkomsten voor de schoolbibliotheek.

Wat er nu gebeurde, wordt vast een anticlimax genoemd. Beiden verwachtten we dat de Grijns of Bibbi de deur zou openen en zich op ons zou storten. Zelf had ik verzonnen dat de Grijns Bibbi als gijzelaar vasthield. Ik dacht dat hij aan de deur zou komen met zijn ene hand op haar mond en een pistool in de andere hand. Maar wat er gebeurde was dat niemand opendeed. We drukten een aantal keren op de bel, maar in het huis was het volkomen stil.

Ik voelde voorzichtig aan de deur, net zoals ik al eens eerder had gedaan, en ook nu was de deur open.

We slopen naar binnen en stonden enkele minuten doodstil te luisteren. Er was absoluut niets te horen.

'Misschien slaapt ze,' fluisterde ik.

Nils haalde zijn schouders op: 'Of misschien is ze...'

Verder zei hij niets, maar ik geloof dat ik wel wist wat hij bedoelde.

Nu deden we iets wat behoorlijk idioot was. We trokken onze schoenen uit, omdat we zo zachtjes mogelijk wilden lopen, of omdat onze gymschoenen kletsnat waren. Ik weet het niet. We slopen in elk geval op sokken de woonkamer binnen.

'Ik ben al eens in alle kamers geweest,' fluisterde ik.

Nils niet. Hij keek om zich heen en was duidelijk verbaasd dat hij zelfs geen boekenkast zag.

'Denk je dat er een benedenverdieping is?' vroeg hij.

'Jaaa!' fluisterde ik. 'Ze heeft een vertrek onder het huis gegraven.'

Toen pas besefte ik welke geluiden Hilde Mauritzen uit het huis had horen komen nadat Bibbi de Bok hier was komen wonen. Ik snapte ook waar alle boeken van Bibbi de Bok waren gebleven.

We doorzochten het huis en hadden onze ogen op de vloer gericht. Het duurde niet lang of we ontdekten het luik met een messing ring erin. Het zat aan het korte eind van de eettafel waar Bibbi de Bok een kleine lading nieuwe boeken had uitgepakt terwijl ik op de stoffige vloer onder de bank lag.

Ik meende een zacht geluid van de verdieping boven ons te horen, legde een vinger op mijn mond en bleef doodstil staan.

Nils schudde zijn hoofd.

'Het is de wind maar,' fluisterde hij. 'Ze zitten vast in de bar van het hotel, als ze tenminste niet op weg zijn naar de gletsjerhut.'

Ik stopte twee vingers in de messing ring en tilde het luik omhoog. We staarden in een ruimte die donkerder was dan de nacht buiten, maar Nils had meer thrillers gelezen dan ik. Hij haalde in ieder geval een zaklantaarn tevoorschijn en scheen op een paar steile traptreden.

Het was logisch dat hij het eerst naar beneden ging. Even later stond hij op een keldervloer en liet hij de lichtkegel in het rond schijnen. Voordat ik zelf vaste grond onder de voeten had, hoorde ik hem zeggen: 'De bib... bib... bibliotheek, Berit.'

'Het is de wind maar,' fluisterde ik en probeerde te doen alsof ik niet doodsbang was. Maar dat was ik wel. Ik voelde me helemaal versuft, maar probeerde mijn stem zo natuurlijk mogelijk te laten klinken.

'Ze zitten vast in de bar van het hotel,' zei ik. Dat klonk krankzinnig, maar ik ging dapper door: 'Als ze tenminste niet op weg zijn naar de gletsjerhut.'

Ik beet op mijn tong en keek naar Berit. Ze greep de messing ring en begon het luik op te tillen. Ik hield mijn adem in. Ik had zin om ervandoor te gaan, maar mijn benen leken als aan de grond genageld. We keken in een zwart gat.

Ik stak mijn hand in mijn jaszak en pakte de zaklantaarn die ik voor mijn vertrek in Oslo had gekocht. Ik had het gevoel gehad dat ik hem nodig zou hebben, en dat klopte. Het ogenblik was aangebroken. Ik was kletsnat en wist niet wat regenwater en wat zweet was. Ik knipte de zaklantaarn aan en scheen in het zwarte gat. Een oude houten trap draaide als een spiraal naar beneden. Berit stond vlak achter me.

Ik wist dat een van ons als eerste moest afdalen en ik wist dat zíj dat niet zou zijn. Ik had zin om weg te lopen, maar het was te laat. Door een onzichtbare kracht werd ik de trap af getrokken. Net als wanneer ik naar de reling van een brug of de rand van een afgrond word getrokken, juist omdat ik hoogtevrees heb.

Ik hoorde Berits voetstappen achter me. Het duurde vast niet meer dan enkele seconden voordat ik onder aan de trap was aanbeland, maar het voelde als een eeuwigheid. Ik stond in een grote ruimte met een merkwaardig droge lucht voor een kelder. Ik liet de lichtstraal van de zaklantaarn over de wanden gaan. Toen voelde ik het bloed uit mijn hoofd verdwijnen en hoorde ik mijn eigen stem: 'De bib... bib... bibliotheek, Berit.'

We hadden hem gevonden! De magische bibliotheek van Bibbi de Bok! Ik voelde het, nee, ik wíst het! Niet alleen met mijn hoofd, maar met mijn hele lichaam. Ik trilde van spanning en tegelijkertijd was ik vreemd rustig, alsof ik na een lange reis eindelijk was thuisgekomen.

We bevonden ons in een soort schatkamer met boeken. Hoewel de kelderruimte donker was, leek het wel alsof de boeken oplichtten, en ik had het verwarrende maar tegelijkertijd gelukzalige gevoel dat ik hier al eens eerder was geweest.

Op hetzelfde ogenblik hoorde ik een klikje, een gedempt licht vulde de ruimte en miljoenen kleine stofdeeltjes schitterden als sterren om ons heen.

Nu ben ik een deel van het universum, dacht ik.

Ik had geen idee waarom, maar hoewel we in een kelder zaten in een klein huis in een klein dorp in een klein land, leek deze ruimte even groot als de hele wereld buiten.

De wanden waren bedekt met planken en kasten die vol met boeken stonden. Volgens mij waren het miljoenen boeken, en als ik ze zou openen, zou ik boeken te zien krijgen met gouden schrift, boeken met tekeningen die zo mooi waren dat het leek alsof ze niet gedrukt waren maar op het papier waren geschilderd, boeken met omslagen, bedekt met piepkleine glanzende parels, boeken met zulke ouderwetse lettertypen dat ik ze niet kon lezen, en boeken waarvan het papier op oud behang leek en waar de letters van af leken te bladderen.

Het gevoel dat ik dit eerder had meegemaakt, werd steeds sterker, en toen ik de man zag die aan een tafeltje helemaal achter in de kamer met de rug naar ons toe gewend zat, was ik vreemd genoeg niet in het minst verbaasd.

Berit had hem al ontdekt. Ze stond achter hem.

'Hallo,' zei ze.

Hij draaide zich niet om.

'Neem ons niet kwalijk,' zei ze.

Hij reageerde helemaal niet. Het leek alsof hij zat te schrijven.

'We zijn op zoek naar Bibbi de Bok!' riep ze.

Hij schreef maar door.

Ik liep naar Berit, legde een hand op haar arm en fluisterde:

In deze stad woont een oud heerschap
Hij mag dan doof zijn, maar blind is hij niet
Zijn liefde is jong en fris en knap
Er leven duizend boeken in zijn gebied

Berit keek me verward aan, toen ging haar een licht op.

'Mario Bresani!'

Ik knikte.

'Hij is doof!'

Ik knikte weer.

'Hij heeft Bibbi de Bok geholpen met het opzetten van de magische bibliotheek. Hij…'

Berit maakte de zin af.

'… heeft er zelf ook één.'

Ik knikte aan één stuk door.

'Dante, Petrarca, Homerus en Ovidius zijn schatten in het huis aan de Tiber-rivier,' zei Berit.

Opeens glimlachte ze. Ik heb het haar nooit verteld, maar ze heeft echt een mooie glimlach.

Ik liet haar arm los en tikte Bresani zacht op zijn schouder. Hij schrok niet op, maar rechtte zijn rug, draaide zich om en beantwoordde Berits glimlach. Het leek alsof hij op ons had zitten wachten.

In Rome was alles zo snel gegaan dat ik zijn gezicht niet goed in me had opgenomen, maar nu deed ik dat wel. Het vreemde was dat het een gezicht zonder leeftijd was.

Mario Bresani kon veertig jaar zijn, maar net zo goed tachtig. Onmogelijk te zeggen. Zijn haar was wit maar dicht als dat van een jongeman. Duizend rimpeltjes op zijn voorhoofd en rond zijn ogen vertelden van een mens die een lang leven had geleid. Zijn blik was open en nieuwsgierig als bij een kind. Zijn tanden waren krijtwit en zijn glimlach was opgewekt en een beetje plagend als bij een tiener. Nu glimlachte hij naar Berit.

'*Buon giorno, signorina* Berit,' zei hij en keek naar haar mond toen ze langzaam en duidelijk antwoordde.

'*Buon giorno*, Bresani.'

'*Buon giorno*,' antwoordde ik. Ik begreep dat dit 'goedendag' moest betekenen.

Meteen drong het tot me door dat Mario Bresani de Italiaan moest zijn over wie ze in het hotel hadden gepraat. Híj was degene die niet wilde eten... Dat ik daar niet aan gedacht had!

Ik keek in een verstandig, mooi, warm gezicht.

Wie wás deze man? Waarom was hij hier, en waarom was hij zo mooi? Ik geloof dat ik dacht dat je misschien een mooi gezicht krijgt als je doof bent, of in elk geval van veel boeken lezen. Zijn bruine ogen vibreerden een beetje en hij was niet de eerste die zijn ogen neersloeg. Het leek alsof hij mijn gezicht kon lezen en niet alleen mijn mond. Pas toen ik opzij keek, ging hij staan. Hij sloeg ons beiden op de schouders en zei: '*Benvenuti alla biblioteca!*'

Hij was niet veel groter dan Nils, en een half hoofd kleiner dan ik. Hij richtte zijn blik op mij, om te onderzoeken of ik zijn woorden had begrepen of om te kijken of ik antwoord gaf.

'Welkom in de bibliotheek?' probeerde ik.

Hij knikte: '*Si, si!*'

'In de magische bibliotheek van Bibbi de Bok!' ging Nils verder.

Bresani draaide zich naar hem toe en spreidde hulpeloos zijn armen uit. Hij had niet gezien wat hij zei.

'Volgens mij is dit een magische bibliotheek,' herhaalde Nils. Dit keer sprak hij de woorden ook veel luider uit, alsof dat iets uitmaakte.

De kleine Italiaan lachte: '*Naturalmente, signore... una biblioteca magica... e molto segreta!*'

Hij legde een vinger op zijn mond alsof hij iemand had beloofd om het geheim niet te verklappen.

Ik kreeg een gevoel dat een beetje deed denken aan iets wat ik in de droom over de grote bibliotheek onder de Jostedalsgletsjer had beleefd. Daar was het net geweest alsof ik de titels van alle boeken en de namen van alle schrijvers op de hele wereld kende. Nu verstond ik opeens Italiaans!

'Natuurlijk, jongeman,' had Bresani gezegd. 'Een magische bibliotheek... en heel geheim.' Hij spreidde zijn armen en wees als het ware naar de hele bibliotheek. Toen wierp hij een blik op het brievenboek dat Nils vasthield. Hij praatte verder, de hele tijd heel langzaam. '*Signore e signorina! Questo e il centro... del loro labirinto grandè... e molto misterioso...*'

Nu probeerde Nils te vertalen: 'Volgens mij zegt hij dat we in een mysterieus doolhof zijn beland...'

Bresani liet zijn witte tanden zien. Toen klapte hij in zijn handen: 'Bravo!'

Nu pas begon ik om me heen te kijken. De ruimte was ongeveer zo groot als een grote woonkamer, maar het plafond was veel lager. Midden in de kamer stond een tafel met vier stoelen eromheen. Alle vier de wanden stonden vol met boeken, niet alleen op boekenplanken. Langs de wanden stonden diverse boekendozen in verschillende kleuren. Tussen de planken stonden bovendien voorname boekenkasten met glazen deuren die open konden.

Ik zag geen enkele paperback of pocket. Veel boeken waren erg oud, maar hier stond ook een aantal nieuwe boeken. Alle boeken hadden met elkaar gemeen dat ze ongelooflijk mooi waren.

Ik dacht aan glasschilderingen in grote kathedralen, van die mozaïeken die niets speciaals voorstellen maar die toch een prachtige afbeelding vormen omdat de kleuren zo goed bij elkaar passen. Dat gevoel had ik ook ongeveer toen ik in de bibliotheek van Bibbi de Bok stond en alle bruine en zwarte, rode en witte ruggen bestudeerde. Er was vooral veel bruin in allerlei schakeringen. Dat veel boeken bovendien in echt leer waren gebonden, maakte ze haast tot levende dingen…

De hele sfeer in de onderaardse bibliotheek en de ontmoeting met de oude man waren zo plechtig en rustig, zo ver verwijderd van al dat lawaai in het hotel dat ik al vergeten was hoe bang we waren toen we het huis binnengingen. Ik was ervan overtuigd dat deze man ons nooit kwaad zou doen.

Hoe was het met Nils? Was hij nog steeds bang voor wat er stond te gebeuren? De laatste keer dat hij Mario Bresani had ontmoet, was de Grijns plotseling komen binnenstormen en had alles kapotgemaakt. Dat gebeurde op een soortgelijke plek…

Hoe wist ik dat? Ik was niet in Rome geweest. Toch wist ik

het, omdat Nils erover had geschreven. Toen was ik op een bepaalde manier ook in Bresani's antiquariaat geweest. Alleen bijna, natuurlijk, maar toch…

Opeens hoorden we voetstappen op de vloer van de verdieping boven ons. Wie was dat? De Grijns misschien? Of was het Bibbi de Bok?

Toen schreed ze de trap af naar de onderaardse bibliotheek. Eerst zag ik de schoenen met hoge hakken, toen kwam de lange, rode jurk de wenteltrap afdalen, haast als een parachute die langzaam op de grond in elkaar valt.

De persoon in de rode jurk en de schoenen met hoge hakken was Bibbi de Bok. Ze was niet mager, maar ze was ook niet dik. Van zulke mensen zegt men dat ze 'er goed uitzien'. Ik had vaak aan haar gedacht als 'boekenheks'. Maar als de vrouw in de rode jurk een heks was, dan leek ze meer op Madam Mikmak dan op Zwarte Magica.

Waarom was ik zo bang voor haar geweest, dacht ik. Zou ik daar zo meteen antwoord op krijgen? Maar, vanaf het moment dat ze op me af liep begreep ik dat we het bij het verkeerde eind hadden gehad. Ze was dan wel een vreemd mens – dat móést wel – maar er kon onmogelijk iets slechts in haar schuilen.

'Nils en Berit!' zei ze met een warme glimlach, en ook zij keek naar het boek dat Nils in zijn hand had. 'Geloof me, wat ben ik blij om jullie te zien.'

Ik kreeg het gevoel dat ze zich echt voor ons interesseerde, alsof ze dagenlang naar ons gezocht hadden omdat we in de bergen verdwaald waren en toen eindelijk weer terecht waren nadat we in mist en bij slecht weer hadden rondgezworven. Eigenlijk was dat ook zo: we waren verblind geweest, we hadden niet met heldere blik gekeken.

Bibbi de Bok maakte een trotse beweging met haar ene arm. 'Wat vinden jullie van mijn bibliotheek?' vroeg ze.

'Super!' zei Nils.

'Hij ziet er mooi uit,' ging ik verder.

'*Si, si!*' zei Mario Bresani. '*Bellissima!*'

Hij glimlachte en maakte een buiging. Toen liep hij terug naar de schrijftafel, even kalm als hij was opgestaan en had gelopen. Op de schrijftafel wemelde het van de zwarte en rode inktpotten, pennen, penselen en papier.

Bibbi de Bok maakte een knikje in zijn richting.

'En jullie hebben elkaar inmiddels leren kennen?' vroeg ze.

'O ja!' zei ik. 'We hebben al een heleboel met elkaar gepraat.'

Bibbi de Bok liep naar een van de wanden en draaide een schakelaar om. Op hetzelfde moment werden de boeken in de bibliotheek beschenen door een heleboel piepkleine wandlampjes die aangingen boven de planken en in de boekenkasten.

'O!' riep ik uit, want de lampjes maakten de kelderbibliotheek nog mooier. Omdat de kleuren van de boeken beter uitkwamen, raakte het vertrek vervuld van iets wat me aan feestverlichting deed denken.

'Dit is ongelooflijk, Berit,' zei Nils. Toen wendde hij zich tot Bibbi de Bok.

'Waarom verzamelt iemand... op zo'n manier boeken?' stotterde hij.

Ze lachte: 'Waarom bouwen mensen een duur zwembad in hun kelder? Dit bibliotheekje van mij is niets duurder, Nils. De boeken heb ik door jarenlang verzamelen bij elkaar gekregen. Maar ik heb er goed voor gezorgd. Verder heb ik ze zorgvuldig een plaats in het grote verband gegeven.'

'In Dewey?' vroeg ik.

'Ja, alle vakliteratuur is volgens Deweys systeem neergezet. Want ik vind Dewey gewoon fantastisch! Ik ben niet de enige. Meer dan honderd jaar zijn voorbijgegaan sinds zijn decimale classificatie werd samengesteld. Maar hij is nog steeds actueel.'

Ze wees op de vier muren en legde uit dat twee ervan vakliteratuur bevatten over allerlei verschillende onderwerpen. Ze waren allemaal geplaatst volgens Deweys tabel van 10 tot 990.

Nils wees op de andere muren.

'Wat zijn dat voor boeken?' vroeg hij.

'Dat is bellettrie,' legde Bibbi uit. 'Zoals jullie zien, is die in drie groepen verdeeld. Eerst komt de proza-afdeling...'

'Romans, novelles en zo,' zei Nils, alsof dit een Noorse les op school was.

Bibbi de Bok knikte weer.

'Helemaal boven aan de vierde muur zien jullie dat Mario een mooie"G"voor mij heeft geverfd. Daaronder heb ik al mijn gedichtenbundels bij elkaar gezet.

Ik wees weer naar de planken.

'Daar staat net zo'n mooie"T",' zei ik.

'Want daar staan alle toneelstukken, ofte wel alle drama's.'

'*Peer Gynt*,' zei ik.

Bibbi de Bok straalde: 'Bijvoorbeeld *Peer Gynt*, ja. Daarvan heb ik een eerste uitgave uit 1867. Een dierbaar bezit, Berit.'

Nils wees op een kastje met een heleboel piepkleine laatjes.

'De kaartenbak?'

'De kaartenbakken,' corrigeerde Bibbi de Bok. 'Elk boek in de bibliotheek heeft minimaal drie verschillende kaarten. Zo ontstaan ook drie verschillende kaartenbakken. In de ene bak staan de kaarten alfabetisch op naam van de schrijver. In de tweede liggen de kaarten alfabetisch op boektitel. De derde kaartenbak is een onderwerpenregister. Hier staan de kaarten gerangschikt naar de onderwerpen die de boeken behandelen. Als ik bijvoorbeeld meer over astronomie wil lezen, ga ik gewoon naar deze kaartenbak en kijk ik welke boeken ik heb over de ruimte. Ik kan hier zowel vakliteratuur als bellettrie opzoeken die dit onderwerp behandelen.'

'Dat is slim,' zei Nils. 'Het is vast belangrijk om orde in het systeem te hebben. Hm...'

Bibbi de Bok snoof en zei: 'Je kunt de boeken immers niet op goed geluk op de planken gooien. Moet een postzegelverzamelaar al zijn waardevolle postzegels maar in een grote la strooien? Hoe moet hij dan die ene middelroze postzegel van $2^1/_2$ shilling uit 1882 vinden? En hoe zou ik de eerste uitgave van *Peer Gynt* moeten vinden? Kun je me dat vertellen?'

Nils besloot geen discussie aan te gaan.

'Heb je al die slimme systemen zelf bedacht?' vroeg hij.

Bibbi de Bok liet een hese lach horen.

'Nee, dit kom je in alle bibliotheken van de hele wereld tegen. Nou ja... je zult ook enkele verschillen ontdekken. Op veel plaatsen zijn ze bovendien op computerregisters overgestapt...'

'Hè, bah!' zei ik.

Ik weet niet waarom ik dat zei, maar het ontglipte me.

Nils had zijn oog op iets in een van de grote boekenkasten laten vallen. Hij liep erheen en wees op drie boeken die op elkaar lagen. Ze waren ongeveer net zo lang en net zo breed als twee telefoonboeken naast elkaar. Ze waren ook net zo dik als een telefoonboek. Alle drie de boeken zagen er heel oud uit.

'Wa... wat is dat?' vroeg Nils.

'Sssst!' fluisterde Bibbi de Bok, alsof de drie boeken kleine kinderen waren die niet wakker gemaakt mochten worden. Haar gezicht kreeg een plechtige uitdrukking, net als een priester vlak voordat hij een zeer heilige handeling gaat uitvoeren.

'Jongeman, je staat tegenover drie levensechte incunabelen.'

'Of boeken die in de kinderjaren van de boekdrukkunst zijn gedrukt,' zei ik. 'Van voor het jaar 1500...'

Bibbi de Bok applaudisseerde: 'Wat jullie niet allemaal geleerd hebben!'

Binnen enkele seconden voelde het of mijn hoofd vol zat

met gedachten. Volgens mij gebeurde er ook iets dergelijks met Nils. 'Wat jullie niet allemaal geleerd hebben!'

Ik dacht aan de brief van Siri, aan het brievenboek dat Nils de hele tijd in zijn hand hield, aan de magische bibliotheek van Bibbi de Bok, aan de Grijns die het in de biljartkamer over 'iets opleveren' had gehad, aan het gedicht dat Nils en ik in het gastenboek schreven, en aan nog veel meer dingen. Ik wist dat ik een paar stevige kaartenbakken en een lange middag nodig zou hebben om alles te kunnen begrijpen wat we de laatste weken hadden beleefd.

Ik stond op het punt Bibbi de Bok een vraag te stellen over de brief van Siri – want ik was niet meer zo bang om toe te geven dat ik hem had gevonden en gelezen – maar nu pakte Bibbi de Bok een van die zware incunabelen uit de boekenkast en legde hem op de tafel midden in het vertrek. Ze deed denken aan een koningin die een gouden kroon met diamanten en edelstenen pakte.

'Ga hier zitten,' zei ze, ongeveer net als een meester die het klaslokaal binnenkomt.

We namen alle drie plaats. Toen Bresani zag dat Bibbi de Bok het oude boek in handen had, zei hij: '*Prudente*, Bibbi! *Prudente!*'

Ze lachte: 'Hij zegt dat we voorzichtig moeten zijn.'

Het grote boek was met stevige houten platen ingebonden. Aan de houten platen waren een paar gouden gespen bevestigd die in elkaar waren geklonken. Bibbi de Bok maakte de gespen los, opende het oude boek heel voorzichtig en zei: 'Dit wordt een boek ópenen genoemd. Ooit was dat een zeer plechtige handeling...'

De gele bladzijden in het grote boek leken het meest op dik karton.

'Wat een dik papier,' zei ik.

Bibbi de Bok lachte slim: 'Dit wordt "lompenpapier"

genoemd en is gemaakt van katoen en linnen dat helemaal uit elkaar is getrokken en daarna is gekookt met varkenslijm. Dit oude mengsel heeft zich heel goed gehouden, vinden jullie niet? Dit boek is meer dan vijfhonderd jaar geleden in Milaan gedrukt. Veel boeken van tegenwoordig zullen het niet zo lang maken.'

'Wat is het groot,' zei Nils.

'Dit noemen we folioformaat. Het is een uitgave van de Italiaanse dichter Petrarca. Het is een geschenk van Mario en hoeveel miljoen lires hij ervoor heeft betaald is zijn eigen kleine geheim.'

We keken naar een van de bladzijden in het boek. De eerste letter op de bladzijde was reuzegroot en hij was in rood en blauw geschilderd.

'Handgeschilderd?' vroeg Nils.

Bibbi de Bok knikte.

'In de kinderjaren van de boekdrukkunst vormden boekedities nog een met geheimen omringd handwerk. Toen hadden de mensen nog tijd. Nu probeert Mario de oude kunstvorm weer tot leven te wekken. Hij wordt als een van 's werelds allerbeste kalligrafen gezien.'

Nils schudde zijn hoofd: 'Kalli...'

'Een kalligraaf is een "schoonschrijver",' legde Bibbi de Bok uit. 'Misschien moet ik je bedanken omdat je een paar mooie vellen papier uit Rome hebt meegenomen?'

Nils werd vuurrood: 'Heb jij dat gedicht geschreven?'

Ze glimlachte geheimzinnig, maar ze wilde geen antwoord geven op zijn vraag.

'Een onderwerp per keer, Nils. Jullie krijgen antwoord op alle vragen, maar we doen één onderwerp per keer... en dan kunnen we net zo goed bij het begin beginnen.'

Daarmee sloot ze het grote boek en klikte ze de gouden gespen in elkaar. Toen leunde ze over de tafel heen en keek afwisselend naar Nils en mij. Ze zei: 'Hebben jullie er wel eens aan gedacht dat wij mensen de enige levende wezens op deze planeet zijn – ja, misschien in het hele universum – die gedachten, gevoelens en ervaringen met elkaar kunnen uitwisselen?'

Ik geloof dat Nils en ik alleen maar ons hoofd schudden.

'Dat kunnen we al vele honderdduizenden jaren. Maar toen – zo'n vijf- à zesduizend jaar geleden – leerden we schrijven. Dat gaf de taal geheel nieuwe mogelijkheden. Nu werd het mogelijk om ervaringen te delen met mensen die honderden kilometers verder weg woonden, en dus ook met mensen die honderden of duizenden jaren later zouden leven. De eerste geschreven talen gebruikten "beeldschrift". Toen leek het schrift het meest op strips. Heel geleidelijk ontwikkelde zich dat. Toen ontstond de mogelijkheid om alle woorden uit te drukken in taal met slechts heel weinig letters…'

Nils was op een stoel gaan zitten. Hij leek op zo'n ruziemaker in de klas die heeft besloten een modelleerling te worden, omdat de meester opeens iets heeft gezegd wat zijn belangstelling heeft gewekt. Hij zei: 'Ook al zijn er maar 26 verschillende letters, toch kunnen ze enorme bibliotheken vullen…'

Ze knikte: 'Hierbeneden had ik echter maar weinig ruimte. Ik moest heel wat opblazen voor een kelder erbij…'

'De nachtportier in het hotel dacht dat het een aardbeving was,' zei ik. 'Het scheelde niet veel of ze hadden de politie gebeld!'

Bibbi de Bok liet een brede glimlach zien: 'We hadden het over het alfabet. Dat was de eerste grote revolutie in de geschiedenis van de schriftcultuur. Duizenden jaren lang schreef men op stenen en papyrus, op stukken hout en schilden van schildpadden, op lemen tabletten en potscherven, op dierenhuiden en wastabletten, ja, op alles waar hanenpoten in gekrast konden worden. Het leek op een wereldwijde koorts die zich opeens begon te verspreiden. Na verloop van tijd werden er hele boeken van perkament en papier gemaakt. Elk exemplaar moest echter met de hand worden geschreven. Daarom waren boeken duur en voor de meeste mensen onbereikbaar. Op verschillende plaatsen in de wereld werden langzamerhand pogingen ondernomen om de letters in houten platen te krassen, zodat men hele bladzijden in één keer kon drukken. Zo begon de edele kunst van de vermenigvuldiging. Maar ook dat "blokdrukken" was een erg tijdrovend en duur proces...'

'Toen kwam Gutenberg,' zei ik.

Bibbi de Bok knikte: 'Rond 1450, inderdaad. Pas vanaf dat moment hebben we het over boekdrukkunst en dat was de tweede revolutie van de schriftcultuur. Gutenberg gebruikte losse letters, die van lood waren gegoten. Oorspronkelijk was hij goudsmid, maar op dezelfde manier als hij sieraden van goud en zilver kon gieten, kon hij ook de letters van het alfabet gieten. Daarmee kon hij hele boekpagina's in elkaar zetten en de losse letters of lettertypen konden telkens opnieuw worden gebruikt. Ze vormden de atomen en moleculen van de wereld der boeken.'

Nils kuchte. Toen zei hij: 'Zoals atomen en moleculen een beer kunnen vormen, zo kunnen de letters van het alfabet een verhaal over Winnie de Poeh worden.'

Bibbi knipoogde schelms naar hem.

'Bijvoorbeeld over Winnie de Poeh, inderdaad. Al 900 jaar geleden werden er in China dergelijke losse lettertypen gebruikt, maar daar hadden ze geen alfabet. Het helpt immers niet zoveel om losse typen te gieten als de taal uit vele duizenden verschillende schrifttekens bestaat. Dus zowel het eenvoudige alfabet als de beweegbare lettertypen hebben de Europese schriftcultuur geschapen.'

'Wat voor boeken drukte Gutenberg?' vroeg ik.

Ik kreeg meteen antwoord. Ik denk dat ik Bibbi de Bok elke

willekeurige vraag had kunnen stellen die met boeken te maken had, en ik zou ongetwijfeld onmiddellijk antwoord hebben gekregen.

'Het eerste boek dat Gutenberg drukte, was natuurlijk de bijbel. Tegenwoordig bestaan daar verschillende uitgaven van. Af en toe wordt een complete uitgave verkocht, maar die kost dan ook vele miljoenen kronen.'

'Dan zal het nog wel even duren voordat ik geld genoeg heb om er één te kopen,' zei Nils.

Bibbi de Bok pakte het grote, zware boek van Petrarca op en legde het in de boekenkast. Toen ze naar de tafel terugliep, draaide Mario Bresani zich om.

'*Bravo!*' zei hij.

De vrouw in de rode jurk ging weer zitten en wierp een blik op het schrift dat Nils op schoot had liggen. Ik denk dat ze zin had om te vragen of ze er even in mocht kijken. Zou ze vermoeden dat Nils en ik het als brievenboek hadden gebruikt? Ze zou toch zeker niet kunnen raden dat we over háár geschreven hadden...

Mijn hoofd suisde van de onbeantwoorde vragen.

'U komt oorspronkelijk niet uit Fjærland,' zei ik. 'Waarom bent u hierheen verhuisd en hebt u uw bibliotheek precies op deze plek opgebouwd?'

Weer liet ze die geheimzinnige glimlach zien. Toen ze niet meteen antwoordde, vroeg ik weer: 'Kwam het misschien door Walter Mondale?'

Die vraag deed haar versteld staan. Het was alsof zij de hele tijd het gesprek onder controle had gehad. Deze vraag bracht haar volledig van haar stuk.

Weer gluurde ze naar het brievenboek, maar ze durfde er blijkbaar niets over te zeggen, in elk geval nu nog niet. Ze zei: 'Maar Berit, hoe weet je dat?'

Ik haalde mijn schouders op.

'Ik was hier toen ook. Iedereen was hier toen Mondale de Fjærlandtunnel opende.'

Bibbi de Bok schudde gelaten haar hoofd. Opeens was alles op zijn kop gezet. Volgens mij vond ze het niet leuk dat ik meer wist dan zij wist dat ik wist.

Na een tijdje begon ze weer te vertellen.

'De eerste keer dat ik in Fjærland was, was inderdaad in 1986 toen Walter Mondale de Fjærlandtunnel opende. Ik kwam hierheen om de afgetreden vice-president te ontmoeten. Hij is een oude bekende van me uit de tijd dat ik in de Verenigde Staten woonde in verband met mijn bibliotheekopleiding...'

Nils' mond viel open van verbazing.

'Bingo, Berit!' zei hij.

Hij gaf een teken dat Bibbi door moest gaan: 'Ik hield me destijds bezig met de opzet van een groot magazijn voor de Nationale Bibliotheek. Het was de bedoeling een opslagplaats op te zetten voor alle Noorse boeken en tijdschriften die worden uitgegeven. Om ervoor te zorgen dat alles voor de toekomst bewaard blijft, moest alles in een grote berg worden opgeslagen.'

'Nogmaals bingo!' zei Nils; hij was duidelijk onder de indruk van mijn detectivewerk in Fjærland.

'In Noorwegen werd uitgebreid gediscussieerd over de vraag waar een dergelijk bergmagazijn moest worden aangebracht,' ging juffrouw De Bok verder. 'Toen ik in Fjærland kwam, besefte ik dat het een fantastisch idee was om het grote magazijn onder de Jostedalsgletsjer te bouwen... waar zojuist een lange tunnel was uitgegraven.'

'Be... Be... Berits dromen komen uit,' ontglipte het mijn arme neef, en nu begon ikzelf ook een beetje te transpireren. Toen Bibbi zag hoe we van de kaart raakten, voegde ze er snel aan toe: 'Maar zo is het niet gegaan. In 1989 besloot het parlement om het grote magazijn in Mo i Rana onder te brengen. Daar zijn nu twee grote hallen in de berg geblazen. In de ene hal is een gebouw van vier verdiepingen gebouwd dat een paar maanden geleden voor gebruik is geopend. Hij staat vol met zogenaamde "compactmagazijnen" en bevat alle boeken, tijdschriften, foto's, speelfilms en magneetbanden die worden gemaakt. Bovendien worden alle radio- en tv-programma's die de Noorse zenders maken, er opgeslagen.'

Nils moest diep ademhalen: 'Bestaan dat soort enorme dingen echt?'

'Wat staat er in de andere hal?' vroeg ik.

'Die opening is klaar om er de boeken van de toekomst neer te zetten. Op die manier zal de schriftcultuur van onze tijd zorgvuldig worden bewaard, zodat de mens van de toekomst ons door middel van het geschreven woord kan leren kennen. Misschien blijft het wel duizenden jaren bestaan.'

'Zo'n onderaardse bibliotheek bestaat dus echt,' herhaalde Nils.

Bibbi knikte: 'Hij is zojuist voor gebruik geopend. Hij is brandveilig en beschermd tegen kernrampen, en daarnaast beveiligd tegen alle denkbare natuurrampen.'

Ik moest weer aan mijn merkwaardige droom denken.

'Kunt u niet iets meer vertellen over hoe die zaal eruitziet?' smeekte ik.

'Als je aankomt, kom je eerst bij een traliehek en een ijzeren gordijn voor een 60 meter lange tunnel die de berg ingaat. Die is groot genoeg voor grote trailers en leidt naar het gebouw van vier verdiepingen. Het gebouw zelf is bijna honderd meter lang en bevat in totaal meer dan veertig kilometer planken. Er heersen een constante temperatuur en vochtigheid, zodat de boeken zo goed mogelijk bewaard blijven... Hoewel niet alle boeken die tegenwoordig worden gedrukt even stevig zijn als de oude incunabelen, wordt er dus goed voor gezorgd.'

Ik dacht even na. Toen zei ik: 'Maar toen het u niet lukte om in Fjærland te bouwen, hebt u hier toen een huis gekocht en in plaats daarvan een onderaardse bibliotheek aangelegd?'

Bibbi de Bok glimlachte breed: 'Zo zou je het kunnen zeggen. Vanaf dat ik hier in 1986 kwam, keerde ik steeds weer naar Fjærland terug. Ik voelde me hier prettig en op een dag heb ik dit huis gekocht. Ik vind mijn boeken te waardevol om in een houten huis op te slaan dat opeens in vlammen kan opgaan. Aangezien ik nooit de behoefte heb gevoeld om een zwembad in de kelder te laten bouwen, was dat een mogelijkheid. Soms zit ik hier te lezen en te werken. Maar het komt ook voor dat ik een boek meeneem naar de woonkamer. Op andere momenten loop ik alleen maar in de bibliotheek rond om de ruggen te lezen...'

Met die woorden stond Bibbi de Bok op en deed precies zoals ze had gezegd. Ze liep langs een van de wanden en pakte even later een boekje van een van de planken. Het was geschreven door iemand met de naam Simen Skjønsberg, en het boek heette *Het afschuwelijke genot – epistels over de mysteries van het lezen.* Toen vroeg ze Nils of hij de woorden op de achterflap wilde lezen. Hij kuchte twee keer, toen las hij hardop:

Loop langs de boekenkasten in de bibliotheek. De boeken keren hun rug naar me toe. Niet als mensen om me de deur uit te kijken, maar uitnodigend, als om zich te presenteren. Meter na meter boeken die ik nooit zal lezen. En ik weet: hier biedt zich leven aan, het zijn toevoegingen aan mijn eigen leven die daar staan om in gebruik te worden genomen. Maar met de snelheid waarmee de dagen verdwijnen, blijven de mogelijkheden achter – eenzaam. Een van deze boeken zou voldoende kunnen zijn om mijn leven volkomen te veranderen. Wie ben ik nu? Wie zou ik dan zijn?

'Ik begrijp heel goed dat u gek bent op boeken,' zei ik nu. 'Maar hebt u geen werk... of een man?'

Bibbi legde haar hoofd in haar nek en lachte hartelijk. Mario Bresani moest zich juist hebben omgedraaid, want nu wendde hij zijn gezicht naar ons en lachte mee.

Ze zei: 'Dat waren twee vragen in één. Ik ben bibliograaf van beroep, Berit. Dat wil zeggen dat ik een soort expert ben op het gebied van boeken en bibliotheken. Daar leef ik van. Ik heb opdrachten in Noorwegen en in een heleboel andere landen. Dat betekent dat ik veel op reis ben. Dat was mede de reden dat ik graag wilde dat mijn bibliotheek extra goed beschermd zou zijn. Soms ben ik in Rome... en soms komt Mario naar Noorwegen. Maar ik vind het ook prima in mijn eentje – en in gezelschap van al mijn boeken. Iemand heeft eens gezegd dat "een goed boek je beste vriend is". Iemand anders zei iets soortgelijks: "Als men zijn boeken goed uitkiest, komt men in het allerbeste gezelschap. Men gaat om met de verstandigste, briljantste en edelste karakters, die de trots en pracht van de mensheid vormen".'

Onder het praten stond ze op en liep naar Mario Bresani. Ze legde een hand op zijn schouder.

Nils en ik liepen achter haar aan, en toen we ons over hem heen bogen, zagen we dat hij een paar prachtige, versierde letters met zwarte en rode inkt had geschilderd. Alweer konden we iets lezen wat we allebei al eerder hadden gelezen. Er stond: 'De magische bibliotheek van Bibbi de Bok'.

Ik moest weer aan de brief van Siri denken, maar ik had geen zin om toe te geven dat ik hem had gelezen. Daarom zei ik: 'Bestaat er een boek dat... *De magische bibliotheek van Bibbi de Bok* heet?'

Mario had me aangekeken toen ik dat zei.

'*Si, si!*' riep hij uit. '*La biblioteca magica di Bibbi de Bok!*'

'En dat boek... dat... komt volgend jaar uit?' ging ik verder.

Het volgende moment had ik spijt dat ik dat had gezegd. Ik geloof dat ik me op mijn lip beet. Zou ze begrijpen dat ik wel van de brief van Siri af moest weten?

Opnieuw verscheen er een raadselachtige glimlach op haar gezicht. Toen ze geen antwoord gaf, zei Nils iets. Hij vroeg heel direct: 'Hebt u dat magische boek hier?'

Ik weet nog dat dit een haast hysterische lach van Bibbi de Bok veroorzaakte. Toen ze zichzelf weer in bedwang had, zei ze: 'Nee, nu moet je eens goed luisteren. Nu vind ik dat jullie alle perken te buiten gaan!'

Alleen op dat moment vroeg ik me af of we toch met recht bang moesten zijn voor Bibbi de Bok. Misschien waren we hier ondanks alles toch een soort gevangenen...

Toen ging ze verder: 'Jullie hadden op school moeten leren niet zo ongeduldig te zijn. Jullie willen alles in één keer te weten te komen. Een leugen is meestal gemakkelijk te doorzien, vrienden. Het is niet altijd gemakkelijk om de waarheid te overzien, want daar kleven vaak verschillende kanten aan. Daarom kan de waarheid ook niet altijd in een paar woorden worden uitgedrukt. En...'

We keken haar allebei aan.

'... jullie hebben de magische bibliotheek nog niet gezien.'

Toen ik samen met Berit, Bibbi de Bok en Mario Bresani in de kelder stond, beleefde ik een wonder. Voor het eerst in mijn leven begreep ik wat een boek is. Een boek is een magische wereld gevuld met tekentjes die de doden tot leven kunnen wekken en de levenden het eeuwige leven kunnen geven. Het is onbegrijpelijk, fantastisch en 'magisch' dat de 26 letters van ons alfabet op zo veel verschillende manieren kunnen worden samengesteld dat ze enorme boekenkasten met boeken kunnen vullen en ons mee kunnen nemen naar een wereld die nooit eindigt, maar die steeds verder groeit en uitbreidt zo lang er mensen op deze aarde rondlopen.

Ik keek langs de wanden omhoog en even leek het alsof alle boeken naar me terug staarden. Ja, alsof ze leefden en riepen: 'Kom bij ons! Wees niet bang! Kom hier!'

Plotseling voelde ik een enorme honger. Niet naar eten maar naar alle woorden die op deze planken verborgen lagen. Ik besefte echter dat hoeveel ik mijn hele leven lang ook zou lezen, ik nooit een miljardste deel zou kunnen lezen van alle zinnen die geschreven zijn. Want er zijn net zo veel zinnen in de wereld als er sterren aan de hemel staan. En er komen er steeds meer en ze breiden zich voortdurend uit als een eindeloze ruimte.

Tegelijkertijd wist ik dat telkens als ik een boek open, ik een stukje van de hemel te zien krijg, en telkens als ik een nieuwe zin lees, weet ik iets meer dan voor die tijd het geval was. Alles wat ik lees, maakt de wereld groter, terwijl ik tegelijkertijd mezelf vergroot. Ik een flits had ik een kijkje genomen in de fantastische en magische wereld van de boeken.

Daarom was ik nogal verbaasd toen Bibbi de Bok zei: 'Jullie hebben de magische bibliotheek nog niet gezien.'

'Jawel, hoor,' ontglipte me. 'We hebben hem zojuist gezien. Hartelijk bedankt.'

Ze glimlachte tegen me.

'Alleen de buitenste ruimte, mijn jongen. De ruimte voor wat al geschreven is.'

'Zijn er dan meer ruimten?' vroegen Berit en ik fluisterend in koor.

'Ja,' zei Bibbi de Bok en ze keek ons met een nieuwsgierige en tegelijkertijd wat verdrietige blik aan. Het was alsof ze probeerde onze gedachten te lezen en ervan baalde dat haar dat niet lukte. 'Binnenin is een ruimte. Een ruimte voor wat er nog gecreëerd gaat worden. De ruimte van de mogelijkheden.'

Het leek haast alsof Berit het begreep.

'Bedoelt u dat…?'

Bibbi de Bok knikte. Toen gaf ze Mario Bresani een teken. Hij stond op en liep naar de gigantische boekenkast achter de schrijftafel. De kast had geen glazen wanden. Hij haalde een sleutel te voorschijn en deed de deur open. En toen was het geen kast, het was een ingang. Een ingang naar de binnenste ruimte.

'Kom,' zei Bibbi de Bok. 'Nu gaan we naar binnen.'

Mario Bresani was weer gaan zitten. Hij knikte in onze richting en tekende verder terwijl wij DE MAGISCHE BIBLIOTHEEK VAN BIBBI DE BOK binnengingen.

Eerst was ik bijna teleurgesteld. Het scherpe, witte licht dat ons tegemoetkwam, was verre van magisch, en deze ruimte was veel kleiner dan de fantastische bibliotheek waar we zojuist waren geweest. Hier stonden geen mooie boeken. Geen incunabelen, geen goudschrift, geen fantastische lettertypen, hier was het alleen een heerlijke bende.

De wanden waren bedekt met gewone boekenkasten, die er uitzagen alsof ze bij Ikea of iets dergelijks waren gekocht. De kasten stonden vol kartonnen dozen, plastic mappen en notitieblokken. Op een heel grote tafel midden in het vertrek lagen stapels papieren, tijdschriften en tekeningen die niet bepaald door de wereldberoemde schilder Edvard Munch leken te zijn gemaakt.

'Wel, van vinden jullie?' vroeg Bibbi de Bok trots.

'Prachtig,' zei ik en probeerde te klinken alsof ik het meende.

Ik keek naar Berit, maar zij leek helemaal niet teleurgesteld. Ze glimlachte tegen Bibbi de Bok, die ook tegen haar glimlachte. Het was alsof ze samen een geheim hadden. Ik voelde me buitengesloten.

'Ja, dit is inderdaad een fraai vertrek,' zei ik en nu probeerde ik mijn teleurstelling niet te verbergen.

Bibbi de Bok lachte. Ik vond het een akelige lach. Dat Berit ook lachte, maakte de zaak er niet beter op.

'Begrijp je niet wat dit is, Nilsje?' vroeg ze.

'Nee, dat doe ik inderdaad niet,' mompelde ik. 'U misschien?'

'Dit zijn boeken die nog niet geschreven zijn,' zei Berit. 'Dat is toch zo, Bibbi?'

Nu was het dus 'Bibbi'! Bibbi en Nilsje!

'Bibbi' knikte. 'Natuurlijk,' zei ze. 'Shakespeare heeft geschreven dat "het kind de vader van de man is".'

'Of moeder,' voegde Berit eraan toe.

'Of moeder,' zei Bibbi de Bok. 'Iedere seconde die verstrijkt, wordt de totale kennis op aarde groter. Telkens ontstaan er nieuwe gedachten, nieuwe woorden en nieuwe zinnen bij nieuwe mensen. Over de hele wereld scheppen op dit ogenblik miljoenen kinderen de taal van morgen. Sommigen houden hem voor zichzelf, maar anderen schrijven hem op. Onafgemaakte gedichten, verhalen waarmee een begin is gemaakt, zinnen die nooit eerder zijn geschreven. Ze staan vol met een kennis waarvan ze het bestaan niet weten. Ze... jullie dragen het erfgoed van het verleden met jullie mee, en tegelijkertijd dragen jullie de mogelijkheden van de toekomst in jullie.'

'Dit is dus de "ruimte van de mogelijkheden",' zei ik.

Ik voelde me niet langer buitengesloten. Ik voelde me opgenomen.

Bibbi de Bok knikte.

'Zijn de bomen in het voorjaar niet op zijn mooist?'

Weer zag ze er haast verdrietig uit.

'De magische bibliotheek staat vol mogelijkheden van wat ooit boeken zullen worden. Over een paar eeuwen is de fantasie die in deze ruimte is verzameld, tot waardevolle incunabelen geworden. De woorden zijn dan op een andere manier geordend. De zinnen zijn ongetwijfeld niet meer dezelfde. Maar hier staat de wieg van iets wat de taal van de toekomst zal worden. Zo ziet de pasgeboren literatuur eruit. Het werkelijk magische in onze levens is de geboorte.'

Ze pakte een papiertje en las:

> *De slingerplant groeit en groeit*
> *de ruimte uit. Omhoog naar de maan om*
> *Apollo 13 weer naar de aarde te halen.*
> *Dan verschijnt er een gigantische regenbui zodat*
> *de lange slingerplant in de was krimpt,*
> *en weer door het raam naar binnen kruipt en in slaap valt.*

Er liep een rilling over mijn rug. Niet omdat het gedicht zo fantastisch was, maar omdat ik wist dat ik precies zo'n gedicht zelf had kunnen schrijven, en dat kon Bibbi de Bok niet, ook al was ze vast en zeker duizend keer slimmer dan ik. Ik pakte een notitieblok en las:

Er was eens een vrouw die vreselijk lui was. Ze was lelijk, dik en rijk. Op een dag besloot ze naar de winkel te gaan. Toen ze bij de winkel aankwam, kon ze niet door de deur naar binnen. Ze bedacht dat ze moest afvallen, dus was het ook helemaal niet leuk om eten of snoepgoed te kopen. Ze had geen man en niemand om mee samen te wonen. Op een dag wilde ze naar de stad om te kijken of ze was afgevallen. Toen ze in de stad aankwam, zag ze een man die ze leuk vond. 'Weet jij de weg naar de goudsmid?' vroeg ze. 'Ja,' zei de man. Toen legde hij de vrouw uit hoe ze moest lopen. 'Hartelijk bedankt voor je hulp,' zei ze en liep verheugd weg. Toen kwam ze bij Goudvondst en ze kocht een sieraad. Daarna leefde ze gelukkig in haar eentje. Ze was nog even dik, even rijk, even lelijk en even lui. Het was smerig bij haar thuis. Toen kwam het olifantje met de hele lange snuit, en die blies het verhaaltje uit.

'Ja,' zei Bibbi de Bok. 'Zo kan het lopen.'

Berit stond bij een van de planken te lachen.

'*Het spookt in de school van Kuventræ,*' zei ze en begon te lezen:

Thomas en ik gingen het klaslokaal binnen. Daar was niemand,
maar we hoorden een stoel omvallen. En we hoorden voetstappen,
maar Thomas zette zich schrap en hij voelde dat hij raak schoot, en
een raam ging aan diggelen. We dachten dat het een onzichtbare
stoel was, maar het was een val die Grete had opgezet.

Bibbi de Bok knikte diepzinnig.

'Veel wijst erop dat Grete een meisje met veel fantasie is,' zei
ze.

Niemand van ons antwoordde. Berit begon hardop een verhaal te lezen over een jongen met de naam Arne die een lees-
wedstrijd met een draak hield.

Ik stond met een papiertje in de hand. Het leek uit een boek
te zijn gescheurd. Er stond:

We zitten samen aan het strand
met een coca cola in de hand.
Nils en Berit heten wij
en we hebben nog lekker vrij.
Het is hier heerlijk, we doen wat we willen,
als we aan school denken, gaan we gillen.

'Hebt u dat uit het gastenboek gescheurd?' vroeg ik.

Bibbi de Bok bloosde, maar niet zo erg dat het opviel.

'Een relatief klein misdrijf,' zei ze.

Berit had Arne en de draak in de plastic map teruggelegd. Ze
kwam naar ons toe.

'Het is misschien nog niet helemaal af,' zei ze.

'Nee,' zei Bibbi de Bok langzaam. 'Het is alleen maar de
inleiding. Pas toen jullie híér kwamen is het echt begonnen,
nietwaar?'

Het was net alsof ik op het punt stond om iets te begrijpen
wat nog niet helemaal tot me was doorgedrongen. Ik zei het

eerste wat me te binnen schoot. Dat is vaak het slimst: 'We hebben de magische bibliotheek van Bibbi de Bok gezien. Nu willen we het boek over de magische bibliotheek van Bibbi de Bok zien.'

'Volg mij!' zei Bibbi de Bok.

Ik boog me over het gedicht dat Nils en ik in het gastenboek hadden geschreven. Waarom had Bibbi de Bok dat eruit gescheurd? Omdat ze belangstelling had voor wat jonge mensen schreven? Of had ze ook een andere bedoeling gehad?

Ik kreeg het dwaze gevoel dat ze het gedicht ongetwijfeld nauwkeurig had bestudeerd. Daarom zei ik: 'Het is misschien nog niet helemaal af...'

Ze keek me aan. Het was alsof ze dacht: Kom op, Berit! Toen zei ze: 'Nee, het is alleen maar de inleiding. Pas toen jullie hier kwamen is het echt begonnen, nietwaar?'

Eigenlijk was het toen pas allemaal begonnen. Want toen vertrok Nils en Billie Holiday had voorgesteld dat we in een schrift naar elkaar konden schrijven dat we tussen Oslo en Fjærland heen en weer stuurden.

We liepen achter Bibbi aan de magische bibliotheek uit, waar het wemelde van half afgemaakte verhalen en gedichten die door kinderen waren geschreven.

Toen we door de kast in het andere vertrek kwamen, keek Mario Bresani ons opgewekt aan. Hij wierp een blik op het schrift dat Nils in zijn hand hield en zei: '*Il momento di verita!*'

Toen liep hij achter ons de wenteltrap op die naar de woonkamer leidde.

'Wat zei hij?' vroeg ik.

'Hij zei dat we het ogenblik van de waarheid naderen,' antwoordde Bibbi de Bok glimlachend.

Het ogenblik van de waarheid, dacht ik. Had ik zelf ook niet iets dergelijks gezegd?

Boven had Bibbi de grote tafel gedekt met borden, koffie-kopjes en cola. Midden op tafel stond een halve taart en een grote schaal met eigengebakken broodjes.

Nils had duidelijk trek, want hij ging meteen aan tafel zitten. Voor alle zekerheid legde hij het brievenboek onder zijn bord. Was hij nog steeds bang dat iemand het zou stelen? Of was hij bang dat Bibbi de Bok plotseling tien kronen van hem zou eisen?

'Laten we allemaal gaan zitten,' zei Bibbi de Bok. 'Eet smakelijk!'

Het volgende moment viel haar op tafel iets bijzonders op, en dat was niet het brievenboek onder het bord van Nils.

'Dat is gek,' zei ze. 'Ik dacht dat er meer broodjes waren...'

Ik voelde me niet aangesproken, want Bibbi de Bok had de tafel gedekt nadat Nils en ik naar de bibliotheek waren gegaan.

Ze liep naar de keuken en haalde een koffiepot. Toen ze terug was en weer was gaan zitten, nam Nils eerst een hap van een broodje. Toen zei hij: 'Lekkere broodjes, Bibbi! Maar als dit "het ogenblik van de waarheid" is, mogen we misschien ook even een blik werpen op dat prachtige boek dat volgend jaar uitkomt.'

Bibbi lachte en toen moest Mario Bresani ook lachen. Ik lachte niet, want opeens snapte ik alles. Het enige wat ik niet kon begrijpen, was hoe het haar was gelukt...

Ze wierp een blik op Mario Bresani en knipte met de vingers. De zwijgzame Italiaan stak met langzame bewegingen een hand in de zak van zijn colbert. Toen legde hij een piepklein boekje op tafel tussen Nils en mij. Het was niet veel groter dan een luciferdoosje, op de buitenkant stond een foto van een rode leeuw en het zag er heel oud uit. Op het omslag stond iets met bijna volslagen onleesbare letters.

'Almanak...' las ik.

Bibbi de Bok knikte. Toen las ze de hele tekst: *'Een Nieuwe*

*Almanak voor het Jaar na de Geboorte van Jezus Christus. 1644.
Christiania.'*

Het leek alsof de ogen van Nils ieder moment op tafel konden rollen.

'Is dát het boek over de magische bibliotheek?' vroeg hij.

Bibbi verkneukelde zich: 'Zoals je ziet werd de oude almanak uitgegeven lang voordat er een Bibbi de Bok bestond. Het is een kalender van het jaar 1644, maar hij werd uiteraard het jaar daarvóór gedrukt. In 1993 is het precies 350 jaar geleden…'

'Het Jaar van het Boek!' riep ik uit. 'Waarvan koningin Sonja de beschermvrouwe is. Die almanak was het allereerste boek dat in Noorwegen werd gedrukt!'

Bibbi's gezicht lichtte op: 'Wist jij dat ook, Berit?'

Ik haalde mijn schouders op.

'Ik ken een schrijver,' zei ik. 'Hij weet waar al dat soort honden begraven liggen.'

Nils had het boekje naar zich toe gegrist en begon erin te bladeren. Zijn mond puilde uit van het eten toen hij zei: 'Dit is een heksenboek, Berit! Ik weet het zeker. Er staan van die geheimzinnige tekens in… van die oude symbolen voor sterren en planeten…'

Hij boog zich over het boek en probeerde de oude letters te lezen: 'Degene die droomt en voelt dat een Tand uitvalt, die verliest waarachtig een goede Vriend…'

Hij keek naar mij en knikte beslist: 'Een heksenboek, echt waar!'

Het leek alsof hij van plan was op te staan en naar buiten te rennen. Maar toen zei Bibbi: 'Of dus een oude almanak. Je hebt gelijk dat hij een fantastische mengeling van wetenschap en oud bijgeloof vormt. Hij is dan ook 350 jaar oud.'

Nils was niet overtuigd. Zijn gezichtskleur deed denken aan de rode tomaat die eerder op de avond de eetzaal van het hotel was binnengerold.

'Dan kunt u misschien vertellen wat dit boek met Berit en mij te maken heeft,' zei hij. 'Of wat mij betreft met de magische bibliotheek.'

Mario Bresani keek Bibbi streng aan.

'*Vuota il sacco!*' zei hij.

Ik keek naar haar.

'Hij zegt dat ik de waarheid moet spreken,' legde ze uit.

'Mee eens!' riep Nils.

Hij was niet langer hoofdinspecteur Torgersen van 'Bøyum & Bøyums detectivebureau'. Hij was alleen nog Nils.

'Ik verlang onmiddellijk een antwoord,' ging hij verder. 'Zo niet, dan ga ik naar het hotel en praat ik wel met de Grijns. Bestaat er een boek over de magische bibliotheek van Bibbi de Bok, of bestaat dat niet?'

Ik lachte. Bibbi de Bok ook.

'Dat ligt onder je bord, Nils,' zei ze.

Het gezicht van Nils vormde één lange pantomime. Ik kon alleen maar raden welke gedachten en vragen door zijn hoofd speelden. Ten slotte zei hij: ' Nu wordt het me langzaamaan...'

'Mag ik het schrift eens zien?' vroeg Bibbi de Bok. 'Jullie begrijpen natuurlijk wel dat ik heel nieuwsgierig ben.'

Nils keek me aan. Ik knikte.

Toen tilde hij zijn bord op en schoof het brievenboek over tafel naar Bibbi de Bok. Ze glimlachte breed en ging er meteen in bladeren. Nils pakte weer een broodje hoewel hij nog een half op zijn bord had liggen. Ik begon met Mario Bresani te flirten. Hij knikte over de tafel heen naar Nils en fluisterde: '*Molto temperamento!*'

Ik was het volkomen met hem eens.

Pas na lange tijd nam Nils weer het woord. Hij had klaarblijkelijk goed nagedacht: 'En het brievenboek... dat komt dus volgend jaar uit?'

Bibbi knikte en nu raakte mijn arme neef helemaal van de

kaart. Hij zei, naar adem happend: 'Wij... wij hebben samen een boek geschreven, Berit! We hebben een heel verhaal verzonnen.'

'Over de magische bibliotheek,' zei ik. 'Dat wordt de titel.'

Toen viel hem een nieuwe gedachte in: 'Maar wat heeft ons brievenboek met de oude almanak te maken?'

Bibbi de Bok stond op en pakte een dunne pijp van een oude secretaire. Ze stopte hem en stak hem met een lucifer aan. Terwijl ze een paar dikke rookwolken de kamer inblies, zei ze: 'Dat is een lang verhaal... dat dus 350 jaar geleden is begonnen toen de oude almanak in Christiania werd gedrukt als de allereerste boekuitgave in Noorwegen. Vinden jullie niet dat we dat moeten vieren?'

'Mij best,' gaf Nils toe. 'Ik begrijp alleen niet wat dat met Berit en mij te maken heeft.'

Bibbi de Bok ging verder: 'Een paar maanden geleden kreeg ik een officiële vraag van het organisatiecomité voor "Het Jaar van het Boek 1993". Men vond dat er een boek over boeken moest worden geschreven dat helemaal gratis zou worden uitgedeeld aan alle leerlingen van groep zes in Noorwegen. Ze vroegen mij of ik misschien zo'n boek zou kunnen schrijven...'

Nils haalde slechts zijn schouders op, en de pijprokende vrouw in de rode jurk vertelde verder. Ze liep door het vertrek op en neer.

'Ik stemde toe,' zei ze. 'Maar ik vond ook dat het een beter idee zou zijn geweest om een paar jonge mensen zelf het boek te laten schrijven. Toen ik dat mooie gedicht zag dat jullie in het gastenboek in de gletsjerhut hadden geschreven, besloot ik jullie het te laten proberen. Ik vond jullie gedicht leuk.'

Mario Bresani knikte beslist – hoewel hij niet had gehoord of gezien wat Bibbi had gezegd. Ik keek haar aan: 'Het ons te laten proberen?' bootste ik haar na. 'Hoe dan? Ik begrijp niet hoe u ons aan het werk hebt gezet.'

Bibbi de Bok liep naar de tafel en pakte het schrift met de foto van de Sognefjord op het omslag. Toen zei ze: 'De hele verklaring ligt hier. Voorzover ik het begrijp, hebben jullie bijna alles helemaal zelf uitgevonden.'

Ze begon hardop uit het brievenboek voor te lezen terwijl ze bleef bladeren: ' "Bedankt voor de fantastische vakantie. Jammer dat het weer voorbij is... Herinner je je die vreemde vrouw, met die enorme ogen en dat verfomfaaide boek in haar handtas... Het leek wel alsof ze mij als een open boek kon lezen..." '

Ze keek naar Nils en zei: 'Mooi, Nils. Dit is dus het begin. En dan Berit...'

Ze boog zich weer over het brievenboek en las nog een paar zinnen: ' "Op het moment dat ze de deur van het huis wilde openen, zag ik opeens iets uit haar handtas fladderen... ik griste een kleine envelop naar me toe en wierp me weer achter de muur..." '

Bibbi keek weer op, en ging verder: 'Dan nu de brief van Siri: "Beste Bibbi, ik heb de hele ochtend door de stad gesjouwd, maar ik kan dat merkwaardige antiquariaat niet terugvinden... Op het omslag stond een afbeelding van een paar hoge bergen... Het boek is in 1993 in Oslo uitgekomen... Deze ene band is kostbaarder dan de waardevolste incunabel..." '

Ik rechtte mijn rug: 'Bresani was hier dus ook bij betrokken? Hij probeerde Siri te laten geloven dat hij al een boek bezat dat volgend jaar zou uitkomen?'

Bibbi de Bok staarde me recht aan. Toen zei ze: 'Siri?'

Ik wist niet wat ik moest antwoorden, want nu begon er langzaam iets tot me door te dringen.

Als er nu eens helemaal geen Siri bestond? Als die hele brief nu eens een vervalsing was? Dan waren we pas echt voor de gek gehouden...

'U bedoelt dat er geen Siri bestaat?' vroeg ik. 'Dan heeft zij dus de brief die u uit uw handtas hebt verloren helemaal niet geschreven?'

Ze had haar blik niet van me afgewend: 'Verloren?'

Ik had niets meer hoeven zeggen, want zelfs Nils kreunde nu hardop. Toch zei ik: 'Volgens mij hebt u ogen in uw achterhoofd.'

Ze glimlachte sluw: 'Iemand die veel boeken heeft gelezen, ontwikkelt langzamerhand overal ogen.'

Nils zette zijn colaflesje iets harder dan nodig was op tafel. Hij schudde zijn hoofd en zei: 'Hier klopt helemaal geen barst van!'

Bibbi wendde zich tot hem, en Nils ging verder: 'U hebt dus gezien dat wij dat gedicht in het gastenboek hebben geschreven. Dat hebben we de hele tijd wel geweten. Dus daarmee hebt u ons niet voor de gek gehouden. Toen kocht ik een dagboek in Sogndal en ik ben bepaald niet vergeten dat ik u tien kronen verschuldigd ben. Maar u was niet degene die besliste dat Berit en ik het schrift als brievenboek moesten gaan gebruiken.'

Bibbi de Bok blies een paar rookkringen over tafel.

'Wie was dat dan?'

Ik haalde diep adem en legde een hand op mijn mond.

'Billie Holiday,' fluisterde ik.

Bibbi smakte vergenoegd: 'Vindingrijke dame.'

'Of was het…'

'… ik die haar dat idee gaf, ja. Dat noemen we een goed idee naar voren brengen. Soms komt dat goed terecht… en soms niet.'

'Shit nog aan toe!' riep ik uit.

Bibbi ging verder: 'Billie en ik ontmoeten elkaar zo nu en dan op het postkantoor. Soms maken we een praatje. Volgens mij was ze er enigszins van onder de indruk dat ik zoveel pakketjes uit Italië ontvang.'

Nils kuchte. Ik denk dat Italië het trefwoord was.

'U hebt natuurlijk dat gedicht naar het hotel in Rome gestuurd... zodat ik de weg naar Bresani zou vinden. Maar hoe wist u dat ik naar Rome zou gaan?'

'Ogen in mijn achterhoofd, Nils. Ogen bijna overal. Van boeken lezen word je slim.'

'Ja, hoor,' ging Nils verder. 'Kunnen we dat niet beter spionage noemen? Want u hebt me niet naar Rome gestuurd.'

'O, ja zeker wel!'

Nils zat te wippen op zijn stoel.

'Flauwekul!' zei hij. 'We gingen naar Rome omdat mama een reis naar Rome had gewonnen met een armzalige novellewedstrijd. U weet misschien niet dat ze schrijfster is en...'

Bibbi de Bok tuurde in het niets. Toen zei ze: 'Herinner je je Rome, liefste? De Sint-Pieterskerk, het Colosseum, het Pantheon, de Spaanse trappen en Piazza Navona? Of ben je alles vergeten? Is onze liefde verbleekt...'

'Genoeg!' zuchtte Nils. 'Berit moet maar uitzoeken waar u dat allemaal vandaan hebt, want ik geef het op. Die novelle is namelijk nog niet in druk verschenen!'

Ik keek haar aan.

'U werkt toch niet ook met weekbladen?' vroeg ik.

Ze schudde haar hoofd: 'Maar ik heb toegezegd om jurylid te zijn bij een novellewedstrijd. Het is belangrijk dat mensen schrijven, Berit! De novelle van Bøyum was niet slechter dan de andere... dus won zij. Ik vond het een leuk verhaal, en toen ik hoorde van het weekblad dat het hele gezin naar Rome zou gaan, vroeg ik meteen in welk hotel ze zouden logeren. Nils kreeg mijn gedicht en vond de weg naar Mario. Hij gaf Nils de mooie papieren die hij mee moest nemen naar Noorwegen. De gedachte was ook dat hij hem een rondleiding zou geven door het prachtige antiquariaat... zodat hij iets had om over te schrijven. Maar ik begrijp dat dit mis is gelopen...'

Nils keek haar aan en zei: 'Door een zekere Marcus Buur Hansen...'

Eerst knikte ze. Daarna begon ze energiek haar hoofd te schudden. Ze ging verder waar Nils was gestopt: '... die volgens mij heel andere plannen met het Jaar van het Boek heeft dan wij.'

Ze had al een aantal keren op haar horloge gekeken. Nu deed ze dat weer. Ze boog zich voorover naar de dove Italiaan en zei: '*Tazze e piattini, per favore.*'

Daarop stond hij op en slenterde naar de keuken. Bibbi liep naar de secretaire om de as uit haar pijp te kloppen. Toen probeerde ze alles samen te vatten: 'Mijn aandacht werd getrokken door twee kinderen die een grappig gedicht schreven in de hut op de gletsjer. Toen deed ik Billie het idee aan de hand dat jullie misschien brieven naar elkaar konden schrijven in een schrift dat jullie tussen Oslo en Fjærland heen en weer zouden sturen. Toen ik Nils in de boekhandel tegenkwam, vond ik dat ik wel een deel van de onkosten kon betalen. Nou ja... ik deed natuurlijk een beetje geheimzinnig, zodat jullie iets zouden hebben om over te schrijven. Ik ging bijvoorbeeld met de veerboot mee en schepte op over het decimale stelsel van Dewey. Jullie konden immers op het spoor worden gebracht. De brief van Siri schreef ik op een veerboot op de terugweg vanuit Hella, en ik had het gevoel dat iets mij in mijn nek blies op weg door het Mundalsdal. Verder is het een simpele zaak om dingen uit je tas te verliezen als je de deur van je huis opent. Andere keren laat je soms je deur open, zodat ongenode gasten niet hoeven in te breken om binnen te komen. Als er toch niets te halen valt, bedoel ik. Ik had natuurlijk wel iets beter moeten stofzuigen onder de bank en zo. Dat is waar, maar dat is dan ook alles. Het boek over de magische bibliotheek van Bibbi de Bok hebben jullie helemaal zelf geschreven. Ik heb alleen een paar lantaarns in de nacht aangestoken en toen vlogen de twee motten naar het licht. En…'

Ik onderbrak haar: 'Dat was wel heel brutaal van u. U hebt ons in zekere zin voor de gek gehouden.'

Ze was beledigd, of ze deed alsof. Van Bibbi de Bok was dat niet zo eenvoudig te zeggen.

Ze zei: 'Is het ook niet wat brutaal om een oude bibliothecaris te bespioneren die… een beetje anders is? Of om akelige verhalen over moord en dergelijke te schrijven?'

Mario kwam de keuken uit en zette twee kopjes en twee borden op tafel. Het volgende moment ging de deurbel.

Nils kromp ineen.

'De Grijns!' zei hij.

Bibbi de Bok rende de hal in en opende de buitendeur. De deur naar de hal bleef openstaan en even later zag ik twee mensen van middelbare leeftijd die ik gegarandeerd nog nooit had gezien.

Ik wendde me tot Nils en net op dat moment werd zijn gezicht krijtwit en gleed hij van zijn stoel. Zijn ogen waren groot en glansden als muntstukken.

'Ga rechtop zitten,' zei ik streng, bijna alsof ik zijn mama was.

Toen fluisterde ik: 'Heb je hen al eens eerder gezien?'

Hij knikte beteuterd. Ik besefte dat dit vandaag de tweede keer was dat hij mensen herkende die ik nog nooit van mijn leven had ontmoet.

'Dat zijn Aslaug en Reinert Bruun,' kreunde hij.

Op hetzelfde moment herinnerde ik me de leraren die met de laatste veerboot naar het hotel zouden komen.

Toen kreunde ik ook.

Even later kwamen ze alle vier de woonkamer binnen: 'Wat leuk om je hier te ontmoeten, Nils! Jullie hebben herfstvakantie, begrijp ik…'

'Dan ben jij zeker Berit? Ook leuk om jou te ontmoeten.'

'Graag gedaan,' zei ik.

Even vroeg ik me af of Nils gelijk had gehad met zijn wilde theorie dat ze elkaar allemaal hadden ontmoet in een religieuze sekte die nare dingen met de fantasie van kinderen wilde uitspoken.

Even later zaten we met zijn zessen rond de tafel. Bibbi had een nieuwe pot koffie gehaald. Ze haalde ook de andere helft van de taart. Mario Bresani kwam binnen met twee nieuwe flesjes cola.

'Ik weet zeker dat ik meer broodjes heb gebakken,' zei Bibbi de Bok tegen zichzelf.

Volgens mij was ik de enige die dat hoorde. Toen drong het tot me door: bedoelde ze dat het huis ongenode gasten had gehad? Dáár dacht ze natuurlijk aan! Toen wij in de magische bibliotheek waren had de Grijns misschien hier in huis rondgesnuffeld om naar het brievenboek te speuren. Maar wat moest hij daarmee? En wat bedoelde Bibbi de Bok toen ze zei dat de Grijns andere plannen voor het Jaar van het Boek had dan zij?

Toen we alle beleefdheidsfrasen achter de rug hadden, vroeg Nils op de man af: 'Is dit een samenzwering?'

Die vraag bracht iedereen aan het lachen, behalve Nils en mij uiteraard. De dove man die de vraag van Nils niet had verstaan, lachte het allerhardst. Maar je kunt lachen om een verward gezicht ook al begrijp je alle verwarde woorden die door de mond naar buiten glippen, niet helemaal.

'Lachen jullie maar,' ging Nils verder. 'Maar als dit een samenzwering is, ga ik naar de rector om alles te vertellen.'

Ze lachten weer.

'Dat moet dan eventueel een broodjessamenzwering zijn,' zei Aslaug. 'Het is nog niet zo lang geleden dat wij broodjes met elkaar gegeten hebben. Dit is veel gezelliger dan in café Skalken te zitten…'

Nils vond haar helemaal niet grappig. Ik had medelijden met hem, dus hielp ik hem door Bibbi de Bok een vraag te stellen: 'Is de meester van Nils ook bij dit "Jaar van het Boek" betrokken?'

'Eigenlijk niet,' zei ze. 'Maar toen schreef Nils een leuk opstel, en toen...'

Hebben meesters geen zwijgplicht, dacht ik. Ze mogen opstellen van leerlingen toch niet zomaar gebruiken?

Reinert Bruun kuchte.

'Nils is een jongen met veel fantasie. Afgelopen herfst schreef hij een... nou ja... fantasierijk opstel dat over iemand met de naam Bibbi de Bok ging. Ik wist dat zij een oude studiegenote van Aslaug was, iemand over wie ze zo nu en dan praat. Ik liet Aslaug het opstel lezen... Dat was eigenlijk alles.'

'Het was al heel lang geleden dat ik Bibbi had gezien,' ging Aslaug verder. 'Door het opstel van Nils heb ik haar opgebeld. Ik vroeg of ze enig idee had hoe een van de leerlingen van Reinert haar naam kende en er zelfs een opstel over schreef dat ze... nou, dat ze naar Fjærland was verhuisd.'

'Toen heb ik hartelijk gelachen,' gaf Bibbi toe. 'Ik heb vast ook iets over het boekenproject verteld. Ik geloof dat ik heb voorgesteld om Nils op een dag bij hen thuis uit te nodigen... om misschien een beetje over schrijven en zo te praten.'

Aslaug keek Nils aan en ging verder: 'Dus toen jij mij belde en mij in café Skalken wilde ontmoeten, vond ik dat ik omwille van Bibbi moest komen. Ze was razend benieuwd hoe het met jullie ging.'

Nils' mond viel open.

'Dan is het in ieder geval een minisamenzwering,' zei hij.

Zijn humeur leek te verbeteren. Misschien kwam dat omdat hij weer het gevoel had dat hij zijn eigen leven begreep. Dat duurde niet zo lang, want nu schoot hem iets heel anders te binnen.

'Er is nog iemand,' zei hij.

Volgens mij was Bibbi de Bok de enige die begreep aan wie hij dacht. Nils ging verder: 'Er is een onguur type dat overal waar ik de afgelopen herfst ben geweest, opdook. Hij was ook thuis bij Aslaug en Reinert. Hij heet Marcus "de Grijns" Buur Hansen. Doet hij ook mee aan dit "Jaar van het Boek"? Dan hou ik ermee op.'

Iedereen aan tafel deed er het zwijgen toe.

Voor het eerst die avond zag ik dat Bibbi de Bok een bezorgde uitdrukking op haar gezicht kreeg.

'Helaas,' zei ze. 'Ze hebben nu juist díé man aangesteld als een soort van marketingcontact voor het boek over het Jaar van het Boek. Ik begrijp niet waarom...'

Veel meer dan dit werd er niet gezegd. We bleven nog een tijdje zitten praten over het brievenboek dat Nils en ik hadden geschreven. Bibbi, Aslaug en Reinert lazen er om de beurt een stukje in. Aan lovende woorden geen gebrek.

Bibbi vertelde dat we de volgende ochtend met het boek naar Oslo zouden gaan. De reis was al op voorhand door de uitgeverij betaald. We zouden een heleboel geld voor het boek krijgen, want wij waren immers de schrijvers – hoewel Bibbi de Bok ons heel veel schrijfstof had gegeven.

'Maar het boek is nog niet helemaal af,' zei Bibbi de Bok ten slotte. 'Als jullie in Oslo zijn, moeten jullie ook over de opheldering van het mysterie schrijven. Als jullie dat niet doen, zullen de lezers heel erg teleurgesteld raken. Dan pas is jullie doel bereikt. Het doel is het verhaal over de weg naar het doel.'

Ongeveer op het moment dat ze die woorden sprak, hoorden we een paar knerpende geluiden van de verdieping boven ons. Iedereen behalve Mario Bresani schrok op. Bibbi de Bok wendde zich tot mij en zei: 'Precies waar ik al bang voor was. Ik tel altijd hoeveel broodjes ik bak.'

174

Ik knikte: 'Hij had geen tijd om in het hotel te dineren.'

Bibbi de Bok rende de trap op. Terwijl zij ervandoor ging, keek Nils mij aan en fluisterde: 'De Grijns?'

Vanaf de bovenverdieping hoorden we opgewonden stemmen: 'Dit gaat veel te ver, Marcus. Ik denk dat ik je ga aangeven voor inbraak!'

'Je gaat je gang maar. Maar ik zál dat boek hebben, en ik wil het nú hebben!'

'Onzin!'

'Je gelooft toch zeker niet wat ze geschreven hebben, hè? Mij hebben ze als een schurk afgeschilderd.'

'Ja, ze hebben een scherp waarnemingsvermogen.'

Het klonk bijna alsof ze allebei van de trap vielen. Toen ze in de hal stonden, wierp de Grijns een snelle blik de woonkamer in en nu glimlachte hij niet. Toen hij het brievenboek in het oog kreeg dat op tafel lag, zei hij: 'Daar ligt het toch!'

Reinert legde een hand op het schrift en Aslaug keek de andere kant op. Het was duidelijk dat het zes tegen één was. Misschien dat Nils daarom durfde op te staan en zei: 'En niet Bibbi heeft het boek uit je kamer gepakt, Grijns. Dat was ik namelijk. Ik zat op de veranda toen jij aanbelde. Ik... hm... lachte me bijna dood.'

De Grijns keek Bibbi de Bok beschuldigend aan. Het leek wel alsof hem een heel zonnestelsel was ontstolen.

Ze knikte: 'Het was zíjn boek. Wil je dan nu misschien het huis verlaten?'

Hij draaide zich op zijn hakken om en maakte dat hij wegkwam. Toen hij vertrok, zei hij: 'Hier zul je spijt van krijgen, Bibbi.'

Nadat hij de deur achter zich had dichtgeslagen en Bibbi de Bok terug was, glimlachte ze breed.

'Die man heeft het jubileumboek vanaf het allereerste moment tegengewerkt,' zei ze.

Even later ging iedereen die in het hotel logeerde, op weg door het Mundalsdal. Iedereen dus, behalve Bibbi de Bok. Toen wij vertrokken, zei ze in het Italiaans een heleboel geks tegen Mario Bresani. Maar net zoals de betovering van Assepoester om middernacht verdween, was ik opeens het vermogen om die taal te begrijpen, kwijtgeraakt.

De bewolking was opgetrokken. Tussen de hoge bergen schitterden de sterren, en we konden tot ver in het universum kijken.

Op deze planeet werd ooit een almanak gedrukt.

Ik benijdde Berit niet, die de taak kreeg om over de opheldering te schrijven. We hadden geen geluidsband of zoiets en Bibbi de Bok reikte ons heel wat losse eindjes aan. We waren het er echter over eens dat Berit dit werk moest doen. Zij heeft haar gedachten beter op orde dan ik. Daarnaast is Bibbi een fantastisch goede redacteur. Een redacteur is iemand die kritiek op schrijvers levert, die hen begeleidt en moeilijke vragen aan hen stelt. Dat hebben we geleerd. We zitten nu namelijk in de boekenbranche.

Eén belangrijk los eind heeft ze aan mij overgelaten. Dat eind heet Marcus 'de Grijns' Buur Hansen, en van hem is geen hulp te verwachten. Hij is namelijk de schurk van het boek en schurken zijn mijn specialiteit. Lees maar!

Ik was behoorlijk bang toen we naar het hotel liepen. Ik had namelijk het brievenboek bij me en ik was ervan overtuigd dat de Grijns had uitgedokterd in welke kamer ik logeerde, en dat hij het moment afwachtte waarop ik alleen zou zijn, zodat hij zich op mij kon werpen en het schrift voor de tweede keer kon stelen. Ik overwoog even om het aan Berit te geven, maar zag daarvan af. De problemen aan een weerloze vrouw (meisje) overlaten is mijn stijl niet.

Ik deed alsof er niets aan de hand was en voelde me even dapper als Knorretje toen het nest van de uil door de storm overhoop werd geblazen en het kleine, bange varken het dunne koord naar de brievenbus opklauterde om hulp te gaan halen.

Toen we de receptie betraden en Reinert en Aslaug Bruun welterusten hadden gewenst, zag ik dat de nachtportier Berit aankeek alsof ze een hotelterrorist was, maar ze zei niets. Ik vroeg om mijn sleutel en dacht dat dit misschien een goed einde voor het boek was: 'De jonge held, Nils Bøyum Torgersen, komt om het leven in een heldhaftige poging om het boek te verdedigen waarvan hij zelf een deel heeft geschreven. Zonder aan zijn eigen veiligheid te denken offert hij zijn leven voor de vrijheid van meningsuiting.'

Ik wierp een blik op Berit en Bresani, die heftige gebaren in haar richting maakte terwijl hij op mij wees. Een wanhopig ogenblik lang vroeg ik me af of dit ook gepland was. Misschien probeerde Bresani Berit uit te leggen dat het een schitterend eind van het boek zou zijn als een van de hoofdpersonen in de strijd met de schurk het leven liet. Maar toen bedacht ik dat als de Grijns het boek in handen zou krijgen, er immers geen boek zou komen. In elk geval niet met de Grijns als schurk.

Ik glimlachte zwakjes en wilde net de sleutel pakken en de trap oplopen, mijn duistere lot tegemoet, toen Berit zei: 'Je moet het brievenboek niet meenemen naar je kamer. De Grijns kan wel eens naar je toe komen. Hij weet vast op welke kamer je logeert.'

'Ik heb al met ergere spoken gevochten,' zei ik en voelde dat ik bibberde.

Toen lachte Berit. 'Vanbinnen ben je niet zo flink als vanbuiten, nietwaar, Nilsje?'

Ze had me door. Dat is vaak zo bij meisjes.

'Wat moet ik dan doen?' vroeg ik een beetje mismoedig.

'Je moet van kamer ruilen met Mario.'

Al bijna voordat ze uitgesproken was begreep ik dat het plan net zo eenvoudig als geniaal was. Als de Grijns naar boven kwam sluipen om het brievenboek te gaan halen, zou hij geen Noors jongetje in bed vinden, maar een kleine Italiaanse man. Maar als hij een kleine Italiaanse man in het bed van het Noorse jongetje vond, hoe zou het dan met de kleine...

'Maar hoe moet dat dan met Mario?' vroeg ik.

Hij keek naar mijn mond. Want ook al kende Mario Bresani geen Noors, het was zonneklaar dat hij meer talen dan alleen Italiaans kon 'lezen'. Opeens stak hij een hand naar me uit en het volgende moment leek ik vleugels te hebben gekregen. Ik maakte een elegante salto-mortale, die door de harige arm van Mario Bresani werd gedirigeerd.

Ik wist zeker dat ik op mijn snufferd zou gaan, maar hij ving me elegant in zijn armen op. Daar lag ik als een klein ventje, dat was wel een beetje gênant.

Hij zette me weer op de grond en glimlachte met krijtwitte tanden. 'Judo,' zei hij.

Ik was geschokt en tegelijkertijd opgelucht. We wisselden sleutels en bagage uit. Ik wenste Berit welterusten en ging de kamer binnen, waar ik bijna meteen in slaap viel.

Ik droomde dat ik de Grijns tijdens de finale van het wereldkampioenschap judo bevocht. Het ging er hard aan toe, en de Grijns schreeuwde het telkens uit als ik hem op de grond wierp. Ik werd wakker doordat ik dacht dat de scheidsrechter op zijn fluitje blies, maar in werkelijkheid was het Berit die me belde en zei dat ik onmiddellijk naar beneden moest komen als ik ontbijt wilde hebben. De veerboot ging al over een uur.

Toen ik langs de deur van kamer 151 liep, hoorde ik binnen een enorm gebons.

'Bresani!' riep ik. Ik was nog niet helemaal wakker en vergat dat hij doof was. De man achter de deur was echter niet Bresani. Het gebons hield op, en de vleierige stem die aardig probeerde te zijn, was niet mis te verstaan.

'Zo, ben jij dat, Nils?' zei de stem. 'Doe alsjeblieft de deur open, ik heb een aanbod voor je.'

'Een aanbod dat ik zeker niet kan afslaan!' riep ik.

'Precies,' antwoordde de Grijns met supervrolijke stem. (Daar hou ik niet van.)

'Helaas,' zei ik. 'Ik ben net op weg naar de uitgeverij met het boek over de magische bibliotheek van Bibbi de Bok.'

Ik had me mijn tong wel willen afbijten. Dit was ongeveer het domste wat ik had kunnen zeggen. Nu wist hij waar we heen zouden gaan, maar ik had gelukkig niet gezegd van welke uitgeverij Bibbi de Bok ons het adres had gegeven.

Ik rende de gang door en hoorde een luide kreet en een klap toen de Grijns zich tegen de gesloten deur wierp.

Berit zat samen met Bresani in de eetzaal. Ik had niet veel trek.

'De Grijns,' zei ik en wees naar het plafond.

Bresani pakte zijn ei van tafel en gooide het omhoog. Hij ving het en klopte het tegen de tafel zodat de schaal brak. Het zag er akelig uit, maar ik wist gelukkig dat hij niet de schedel van de Grijns had gebroken.

'Judo?' vroeg ik.

Bresani knikte, toen haalde hij een sleutel te voorschijn en liet hem aan ons zien. Woorden waren overbodig. Hij keek op zijn horloge en stond op.

'*E adesso, avanti, amici miei!*' zei hij.

We begrepen dat het tijd was om de plaats van handeling te verlaten.

Bresani liep met ons mee naar de veerboot. Toen we aan boord wilden gaan, kwam de Grijns aangerend. Het was hem dus gelukt de deur open te breken. Hij zag er beroerd uit. Zijn haar zat in de war en zijn ene arm hing er slap bij.

'*Avanti!*' riep Bresani weer. '*Forza!*'

We stormden de veerboot op.

Toen we omkeken, had Bresani zich omgedraaid. Hij stond met gespreide armen alsof hij de man die aan kwam rennen, met een hartelijke omhelzing wilde verwelkomen. De Grijns bleef tien meter van de Italiaanse kalligraaf en judoka staan. Berit zwaaide naar hem.

'Klaar voor vertrek!' riep ze.

'Ben je betoeterd,' fluisterde ik, maar ze lachte alleen maar.

'Hij komt vast niet,' zei ze.

Ze had gelijk, zoals altijd. De Grijns stond stokstijf naar Bresani te staren. Hoewel hij te ver weg was om hem te kunnen horen, wist ik zeker dat hij tandenknarste. Bresani deed een stap in zijn richting.

De Grijns sprong op, draaide in het rond en stormde terug naar het hotel.

Bresani draaide zich om en zwaaide naar ons. We zwaaiden terug, terwijl de veerboot van de kade van Fjærland wegvoer, op weg naar het laatste hoofdstuk.

Toen de trein in Oslo aankwam, was het te laat om naar de uitgeverij te gaan, maar nadat Berit bij mij had overnacht, tot grote verbazing en wild enthousiasme van mama en papa, bestelden we een taxi.

Ik was nog nooit bij een uitgeverij geweest, maar ik stelde me een soort sprookjeshuis voor, met donkere kamers en lange gangen waarin mannen met fluwelen broeken en hoornen brillen en vrouwen met fladderende mantels en alpinopetten mompelend heen en weer liepen, in dikke boeken verdiept. Het was een beetje anders.

We bereikten het adres dat Bibbi de Bok ons had gegeven en werden voor een groot gebouw midden in de stad afgezet. Als ik niet beter had geweten, zou ik hebben gegist dat daar een verzekeringsmaatschappij en niet een uitgeverij gevestigd was. In zekere zin was dat ook zo. Want het werk van een uitgeverij is dat ze ons verzekert tegen het uitdrogen van onze hersenen. Ons eerste probleem was het vinden van de ingang. We liepen een paar keer om het gebouw heen, maar vonden alleen een aantal achterdeuren. Die zaten natuurlijk allemaal op slot. Ten slotte vroegen we op de taxistandplaats vlakbij, en een dikke, aardige taxichauffeur achter in de rij liep met ons mee naar de enige deur die we nog niet hadden geprobeerd.

We kwamen een soort receptie binnen waar een vrouw ons vanuit een glazen cabine aankeek. Ik kreeg het gevoel dat ik naar de bioscoop ging.

'Twee kinderen voor de uitgeverij,' zei ik.

'Ik begrijp het zeker niet helemaal.'

'We hebben een boek geschreven,' zei Berit.

'Een boek?'

Berit knikte.

'Weten jullie dat zeker?' vroeg de vrouw en ze leek in lachen te willen uitbarsten.

'Niet helemaal,' mompelde ik.

'Ja,' zei Berit dapper. 'Heel zeker. Wij...'

Gelukkig hoefde ze niet meer uit te leggen, want op hetzelfde moment stapte een vrolijke, kleine vrouw uit de lift.

'Berit Bøyum en Nils Bøyum Torgersen?' vroeg ze.

We knikten zwijgend.

De vrouw stak haar hand uit en glimlachte vergenoegd.

'We wachten al op jullie,' zei ze. 'Ik heet Gerd Lothe en werk voor de uitgeverij als redacteur op de schoolboekenafdeling.'

Ze ging voor ons de lift binnen die op de zesde verdieping halt hield.

Daar bevond zich een kantine en een paar gangen die naar verschillende kantoren leidden.

'Mijn kantoor is daarginds,' zei ze wijzend. 'Als jullie iets nodig hebben, kom dan gerust. Hij zit op jullie te wachten. Tweede deur links. Jullie kunnen gewoon naar binnen gaan.'

Ze wees naar een andere gang.

'Willen jullie een cola?'

"Hij"? Ik snapte er niets van.

'Ja, graag,' zei Berit.

We liepen naar de deur die ze had aangewezen, allebei met een cola in de hand.

'Een, twee, drie,' zei Berit. 'Nu gaan we naar binnen.'

Ze deed de deur open. De man achter de schrijftafel stond op en glimlachte. Nog nooit van mijn leven heeft het zo weinig gescheeld voor ik zou flauwvallen.

HET WAS DE GRIJNS!

We wilden weer naar buiten, maar hij was ons te snel af.

Met een tijgersprong was hij bij de deur en leunde ertegen, fluisterend: 'Nu zien we elkaar dus weer, vriendjes.'

Hij pakte een sleutel uit zijn zak en hield hem triomfantelijk voor onze neus. Ik wist zeker dat hij van plan was hem op te eten. Mijn benen trilden zo dat mijn broek er vast uitzag als die van een parachutespringer, maar Berit leek ijzig kalm.

'Hoe gaat het met je arm, Buur Hansen?' vroeg ze. 'Heb je de laatste tijd een beetje te veel aan judotraining gedaan?'

Ik was zo onder de indruk dat ik bijna in mijn handen klapte, ook al was ik nog zo bang. De Grijns kneep zijn ogen tot spleetjes.

'Zo, durf je wel?' sneerde hij.

'Ja,' mompelde ik. 'We durven allebei.'

'Houd je mond, jongen,' siste de Grijns.

Ik hield mijn mond. Soms ben ik een man van weinig woorden.

Hij stak zijn hand uit.

'Het boek!' zei hij.

Ik weet dat ik had moeten zeggen 'over mijn lijk' of zoiets, maar ik hield nog steeds mijn mond. Berit schudde haar hoofd.

'Het is van mij,' zei de Grijns.

'Nee,' zei Berit. 'Het is van ons en van de uitgeverij. Het wordt in het Jaar van het Boek uitgegeven en aan alle leerlingen van groep zes in het hele land uitgedeeld.'

'Zo is het,' zei ik onbenullig.

Toen lachte de Grijns. Dit was de eerste keer dat ik hem hoorde lachen en dat klonk niet positief. Hij klonk als een verkouden krokodil.

'Heeft juffrouw De Bok niet verteld dat ik bij de uitgeverij als marktconsulent voor jullie boek ben aangesteld?'

Dat had ze inderdaad en we konden niets anders dan stom knikken.

'Hier met dat ding!'

De deur zat op slot en hij was veel groter en sterker dan Berit en ik samen. Er zat niets anders op.

Ik gaf hem het schrift; hij ging aan zijn bureau zitten en begon te lezen. Dat wil zeggen dat hij dééd alsof hij begon te lezen. In werkelijkheid had hij immers alles al gelezen wat we tot nu toe hadden geschreven. Hij bladerde. Tien bladzijden per keer. Minstens.

'Helaas. Dit is niet voldoende.'

Hij legde de incunabel van de toekomst naast zich neer, vouwde zijn handen over zijn borst en staarde ons aan met een glimlach die verdrietig over moest komen.

'Het spijt me het te moeten zeggen, maar dit is echt niet voldoende.'

Die uitspraak was net zo vals als de man zelf en dat wisten we, maar wat konden we doen? Behalve Berit en ik had er niemand anders dan de Grijns het boek gelezen. Zelfs Bibbi de Bok niet. Ze was er alleen van overtuigd geweest dat het ons zou lukken en ze had gelijk gekregen. Dat wisten we, en dat wist de Grijns. Maar hij was volwassen, wij waren kinderen, en wie gelooft er nu kinderen?

'Wat ben je van plan om ermee te doen?' fluisterde ik, ook al wist ik het antwoord.

'Ik zal het voor jullie bewaren,' zei de Grijns en glimlachte.

Mijn hart zonk vanuit mijn borst in mijn knieën, en volgens mij was dat bij Berit ook zo.

We staarden zwijgend naar de tafel waar het schrift lag naast een kartonnen bekertje met koffie en zo'n pieper die mensen gebruiken als ze mensen op een andere plek in het gebouw willen oproepen. De pieper had nummers en naast elk nummer stond een naam.

Toen deed Berit iets wat ik op dat moment ongelooflijk dom vond. In werkelijkheid was het het slimste dat een van ons tot nu toe had gedaan, en als ze dat niet gedaan zou hebben, was dit boek nooit uitgekomen.

Ze wierp zich over de tafel en haalde uit naar het brievenboek terwijl ze schreeuwde: 'Het is van ons! Jij kunt van ons de boom in!'

Ze greep het brievenboek en gooide het in mijn richting. 'Ren, Nils!' riep ze.

Dat was nogal belachelijk, want waar moest ik heen? De deur zat dicht en ik had weinig zin om uit het raam van de zesde verdieping te springen. Dus bleef ik midden in de kamer staan met het schrift in mijn hand. De Grijns dook als een havik boven op me. Ik ben geen judoka en het duurde nog geen halve seconde of hij had het schrift van mij afgepakt.

Berit had geen vinger uitgestoken om me te helpen. Integendeel. Ze leek volkomen ongeïnteresseerd, maar bleef met de rug naar ons toe bij de schrijftafel staan.

Toen de Grijns met het schrift terugliep, draaide ze zich om en knipoogde naar me. Ik wierp haar een boze blik toe.

'Nu is het spelletje afgelopen,' zei de Grijns.

'Dat lijkt erop,' zei Berit langzaam. 'Ik vraag me één ding af. Waarom haat je ons boek? Je weet toch dat het niet zo slecht is als jij zegt.'

Eerst leek hij niet te willen antwoorden, maar toen leek hij van gedachten te veranderen. Hij lachte met zijn bekende glimlach en zei met zijn vleierige stem: 'Helemaal niet, meisje. Het is niet zo slecht geschreven voor twee rot... kinderen.'

Ik wilde iets zeggen waar ik zeker spijt van zou krijgen, maar Berit kneep in mijn arm.

'Dat klopt,' zei ze luid en duidelijk. 'Dat is de reden dat we ons afvragen waarom je het niet wilt uitgeven. Jouw taak is immers om het op de markt te brengen. Is het alleen omdat we jou als een schurk beschrijven?'

De krokodil hoestte weer.

'Dat speelt geen enkele rol, meisje,' zei hij.

'Dat dacht ik al,' zei Berit. 'Want als je Nils echt had bespioneerd omdat je wilde kijken hoe we met ons werk vorderden, zou je immers geen schurk zijn geweest.'

De Grijns leek van de situatie te genieten en ik had het gevoel dat Berit dat nu juist wilde.

'Nou ja,' zei hij en nam een slok koffie. Een bruine druppel liep over zijn kin. 'Ik kan het net zo goed vertellen. Het is nogal simpel. Hebben jullie van "Children's Amusement Consult" gehoord?'

Ik knikte.

'Maar we weten niet wat dat betekent,' mompelde ik.

'Het is een klein bedrijf dat videotapes voor kinderen maakt. Ik ben hoofdaandeelhouder.'

'Vertel,' zei Berit. Ik keek haar aan. Ze leek onder de indruk te zijn. Ik begreep er geen snars van.

'We zijn een soort concurrent van de boekenbranche,' zei de Grijns. 'Veel mensen willen het nog niet inzien, maar de tijd van het boek is voorbij. Vanaf het begin ben ik al een tegenstander van dit boekproject.'

'Maar waarom heeft de uitgeverij jou dan in vredesnaam aangetrokken als marktconsulent voor het jubileumboek?' vroeg ik.

'Ik ben een slimme kerel,' zei de Grijns. 'Ik werk al jarenlang in de boekenbranche. Het is van belang om alle deuren open te houden. Ik heb mijn vakkennis ter beschikking gesteld, om het zo maar eens te zeggen. Ik heb interessante visies op tafel gelegd voor de lancering van het boek. Ik ben zelfs met een reclamevideo begonnen voor het geval het me niet zou lukken het project tegen te houden en het door mijn eigen project te vervangen.'

'Anne-Cath. Vestly!' riep ik. 'Dat is de reden dat je met Anne-Cath. Vestly hebt gepraat. Je wilde dat zij je met de video zou helpen!'

De Grijns knikte.

'Ja, maar zij vond dat het niet haar terrein was en ze had natuurlijk gelijk.'

'Wat bedoel je met je eigen project?' vroeg Berit.

De Grijns wreef zich in zijn handen.

'Mijn project was het boek te vervangen door een film ter gelegenheid van het Jaar van het Boek. Een grappige tekenfilm die de ontwikkeling van de boekdrukkunst tot de moderne videoproductie moet laten zien. De werktitel was: *Van letter tot tape*. Ik heb al contact gelegd met een Italiaanse striptekenaar.'

Het ene na het andere licht ging me op.

'Daarom was je dus in Italië!'

'Ja, maar ik was daar tegelijk met jullie om een andere reden. Toen ik de foto van een zekere Ingrid Bøyum en haar gezin in een weekblad zag, begreep ik dat ik twee vliegen in één klap kon slaan. Het leek me niet onwaarschijnlijk dat je het brievenboek zou meenemen. Misschien dat ik het te pakken kon krijgen – en bijvoorbeeld de pech kon hebben om het kwijt te raken.'

'Je hebt me geschaduwd!'

'Ik zeg liever dat ik je in het oog heb gehouden.'

'Welke relatie heb je met Bibbi de Bok?' vroeg Berit.

Het klonk haast als een verhoor, maar de Grijns leek er geen erg in te hebben.

'Bibbi de Bok,' zei hij langzaam, 'is een relikwie. Ik ken haar uit mijn studietijd. Zij volgde de bibliotheekacademie terwijl ik economie studeerde. Ooit waren we vrienden...'

Midden in de zin hield hij op.

'Maar nu niet meer,' zei Berit.

'Nee, we bekeken de dingen toch wat anders. Zij was er net zo op tegen dat ik marktconsulent voor dit boek zou zijn als ik erop tegen was dat zij de verantwoordelijkheid voor het schrijven ervan kreeg.'

'Hoe zit het met café Skalken?' vroeg ik. 'Hoe wist je dat ik daarheen zou gaan?'

'Dat was geen probleem. Ik had natuurlijk contact opgenomen met je meester om te horen hoe het met de jonge schrijver ging. Aslaug Bruun vertelde dat ze een afspraak met je had in Skalken. Ik ging daarheen en zat daar...'

'... verborgen achter een krant,' zei ik.

'Precies.'

'Dat was dus de reden dat je bij Bruun was op de dag dat ik daar ook was!'

Je bent niet zo dom als je eruitziet, mijn jongen. Ik deed alsof ik het belangrijk vond dat het boek zo goed mogelijk zou worden. Ik vroeg of je goed kon schrijven.'

'Wat zei Bruun?' vroeg ik.

'Hij zei dat het je goed afging, maar dat je enige moeite had om je fantasie in toom te houden.'

Hij zag er opeens woedend uit.

'Als ik ergens een hekel aan heb, dan zijn het fantasierijke kinderen,' mompelde hij.

'Waarom?' vroeg Berit. 'Omdat je zelf geen fantasie hebt? Jij hebt niet meer beelden in je hoofd dan dat je op een tv-scherm kunt zien, hè?'

Dat ze dat durfde! De Grijns leek haar aan te willen vliegen. Toen beheerste hij zich en zei kalm: 'Eigenlijk gaat het om geld.'

'Ja,' zei Berit. 'Het is vast niet goedkoop om een tekenfilm te maken.'

'Nee,' zei de Grijns, 'maar de opbrengsten voor "Children's Amusement Consult" zullen des te hoger zijn als hij op de markt verschijnt. Daarom heb ik een verstandige keuze gemaakt om het grootste deel van het marketingbudget aan de financiering van de video te besteden. Jullie waren dom om niet naar het aanbod te luisteren dat ik in Fjærland had willen doen.'

'Aanbod?' Berit keek hem scherp aan.

'Ik was van plan om voor te stellen het boek aan mij te geven tegen één procent van de opbrengsten van de videoverkoop. Nu is het helaas te laat.'

Hij leunde tevreden achterover in zijn stoel en tuurde naar het plafond.

'Ben je uitgepraat?' vroeg Berit.

'Nee,' zei de Grijns. 'Jullie zijn uitgepraat.'

'Daar ben ik nog niet zo zeker van,' zei Berit.

De Grijns stond op het punt te antwoorden, maar op hetzelfde moment hoorden we voetstappen in de hal. De deur ging open en daar stond Gerd Lothe met een man die er nogal grimmig uitzag.

De Grijns probeerde het brievenboek naar zich toe te grissen, maar Gerd Lothe was hem te snel af.

'Ik neem aan dat dit het boek is,' zei ze glimlachend tegen

ons. 'Dit is de directeur van de uitgeverij. Hij wil graag met jullie kennismaken.'

De grimmigheid was van het gezicht van de directeur weggevaagd toen hij zijn hand naar ons uitstak.

'Dat was slim gedaan,' zei hij. 'Wie van jullie kwam op het idee?'

'Dat was ik,' zei Berit en probeerde bescheiden te kijken.

De Grijns had de afgelopen seconden ineengedoken gezeten. Nu keek hij verward naar Berit.

'Welk idee?'

Berit glimlachte liefjes naar hem.

'Toen jij naar Nils liep om hem het boek af te pakken, heb ik op een knop op de pieper gedrukt. Daar stond de naam Gerd Lothe naast. Niet gek, hè?'

'Nee,' zei Gerd Lothe. 'Het was een zeer interessant gesprek.'

Berit knipoogde naar me. Ik had haar wel kunnen kussen!

Nu zitten we dus hier. In het kantoor van de Grijns. Ik heb geen idee waar hij is. Het interesseert me ook niet. Misschien is hij naar Italië gegaan om te proberen daar de boekdrukkunst onder handen te nemen. In dat geval heeft hij een waardige tegenstander in de persoon van Mario Bresani.

Wij doen niets anders dan schrijven in het brievenboek, met de steun van Bibbi de Bok. Zij helpt ons met bepaalde formuleringen en doet de correcties.

Een corrector is iemand die schrijvers met de spelling helpt. Dat is soms nodig, vooral voor deze schrijver.

Wat de taal betreft, lijkt Bibbi ons niet helemaal te vertrouwen. Ook al zijn we kinderen, bedoel ik. Ze zegt dat we nog veel te leren hebben, maar dat zij nog net zo veel van ons kan leren. Zo is Bibbi de Bok. Een echte boekenliefhebster.

Nu valt er niets meer te zeggen. We moeten opschieten om

het af te maken. Het is al de laatste week van oktober en het boek wordt in april gedrukt.

Daarvóór moet de fotoredacteur het omslag met de tekenaar bespreken. Het formaat van het boek en de lettertypen worden door de vormgever bepaald. (Sabon en Berkely Old Style zijn feitelijk heel onschuldige lettertypen, geen monsters zoals ik dacht. Het was het voorstel van de Grijns voor het geval het boek, tegen zijn zin, toch zou worden uitgegeven. En dat gebeurt ook, maar het wordt gezet in Palatino 10,5/12 punt.) De productieafdeling maakt een concept dat op een laserprinter wordt uitgeprint. Dit wordt gelezen door een corrector voordat wij schrijvers het nog een keer doorlezen. Mario Bresani zal het concept voor de titelpagina opstellen voordat de hele mikmak naar een drukkerij wordt gestuurd.

Nu moeten we dit boek dus afsluiten. Dat geeft een triest gevoel, maar niet zo heel erg. Volgens mij zit Berit ergens op te broeden. Ze zit voortdurend aantekeningen in haar notitieboekje te maken. Misschien is ze bezig met een boek over de tijd dat zij en ik een boek over Bibbi de Bok aan het schrijven waren, of misschien verzint ze nieuwe verhalen over nieuwe misdrijven van Marcus Buur Hansen, of over een geheimzinnige schat die onder de Jostedalsgletsjer verborgen ligt, of over de echte moordenaar in de vleesstad? O nee, dat is mijn verhaal. Als zij dat gaat schrijven, ga ik haar aangeven voor diefstal van mijn idee. Dat heet plagiaat en dat is verboden.

Ik denk trouwens niet dat ik schrijver ga worden. Ik wil profvoetballer worden en als ik dertig word, ga ik mijn eigen autobiografie schrijven. Het magische boek over het fantastische leven van Nils Bøyum Torgersen. Nee! Ik ga het niet zelf schrijven. Ik ga Berit over mijn leven vertellen, en dan kan zij schrijven. Ik denk dat ze dat fijn zal vinden. Nee, nu slaat mijn fantasie op hol. Ik weet immers niets over de toekomst en daar ben ik eigenlijk blij om. Ik weet alleen dat de meeste boeken nog niet zijn geschreven en dat er in 26 letters meer verborgen zit dan in het hoofd van een mens waar ook ter wereld. Het is goed om dat in gedachten te houden. Wie weet, misschien verliest een geheimzinnige vrouw in een rode jurk op dit moment een brief uit haar tas? En misschien dat een meisje de brief opraapt en een vreemd sidderend gevoel door haar hele lichaam voelt gaan?

Ik ken dat gevoel. Dat heet INSPIRATIE!